1일 10분

초등 메가 어휘력

초등 3~4학년

5권

자기 주도 학습력을 기르는 1일 10분 공부 습관!

공부가 쉬워지는 힘, 자기 주도 학습력!

자기 주도 학습력은 스스로 학습을 계획하고, 계획한 대로 실행하고, 결과를 평가하는 과정에서 향상됩니다.
이 과정을 매일 반복하여 훈련하다 보면 주체적인 학습이 가능해지며 이는 곧 공부 자신감으로 연결됩니다.

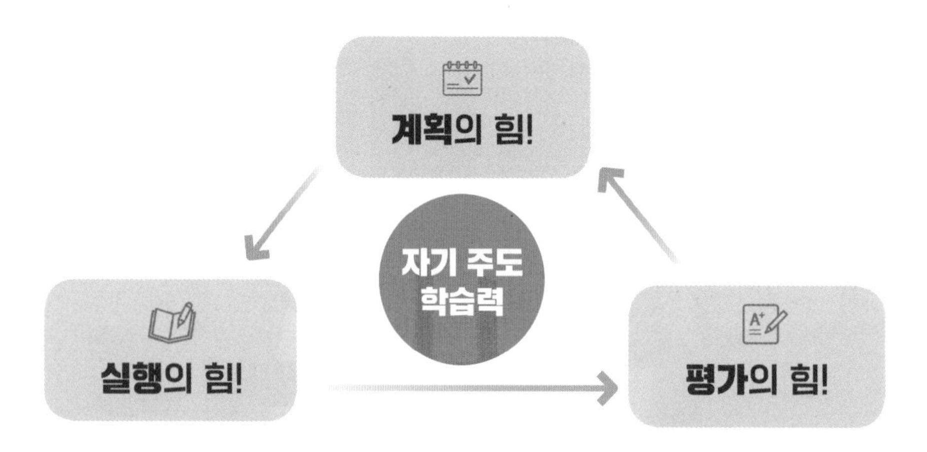

1일 10분 시리즈의 3단계 학습 로드맵

〈1일 10분〉 시리즈는 계획, 실행, 평가하는 3단계 학습 로드맵으로 자기 주도 학습력을 향상시킵니다.
또한 1일 10분씩 꾸준히 학습할 수 있는 **부담 없는 학습량으로 매일매일 공부 습관이 형성**됩니다.

1단계 학습 계획하기

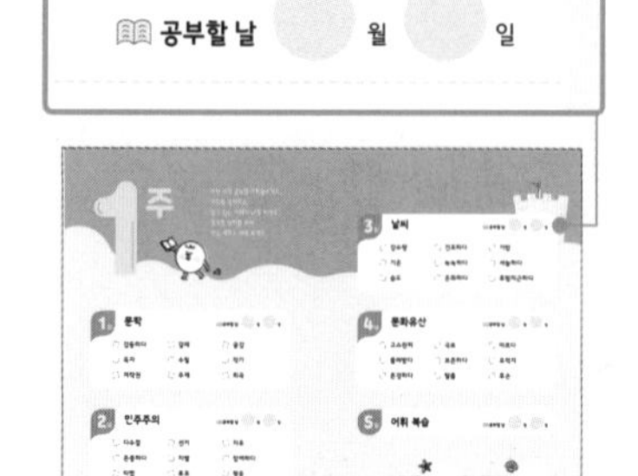

주 단위로 학습 목표를 확인하고 학습할 날짜를 스스로 계획하는 과정에서 자기 주도 학습력이 향상됩니다.

2단계 학습 실행하기

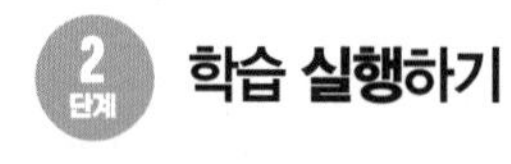

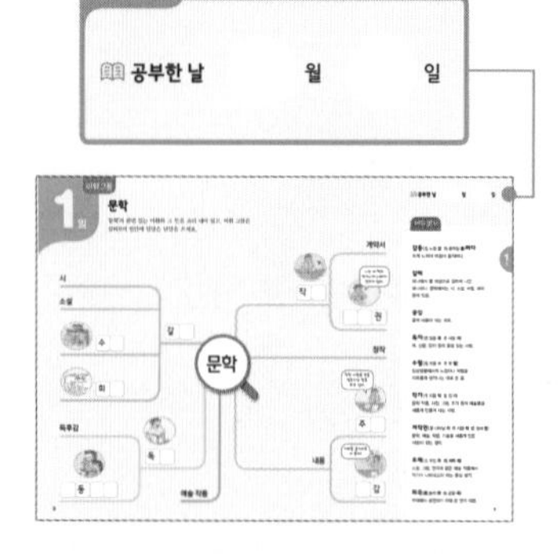

1일 10분 주 5일 매일 일정 분량 학습으로, 초등 학습의 기초를 탄탄하게 잡는 공부 습관이 형성됩니다.

3단계 결과 평가하기

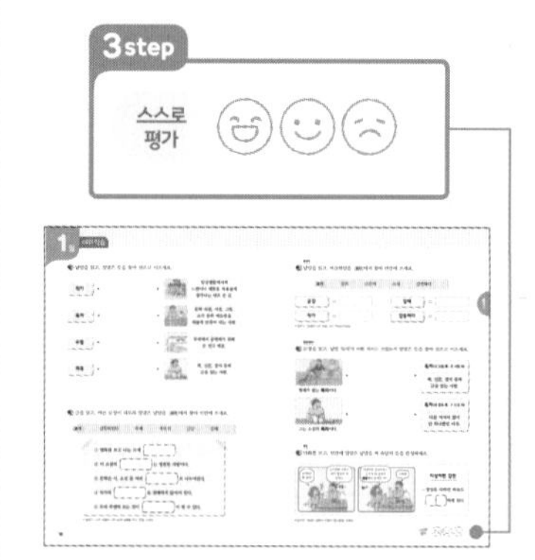

학습을 완료하고 계획대로 실행했는지 스스로 진단하며 성취감과 공부 자신감이 길러집니다.

마인드맵으로 배우는 교과 어휘

초등 메가 어휘력

마인드맵을 활용하여 어휘를 효과적으로 학습합니다.

마인드맵은 영국의 두뇌학자인 토니 부잔(Tony Buzan)이 만든 시각적인 사고 도구(Visual Thinking)로, 좌뇌와 우뇌를 동시에 사용하여 자신의 생각을 지도를 그리듯 이미지화한 것입니다. 전문가들은 마인드맵을 활용하면 어휘를 깊이 있게 이해하고 더 오래 기억할 수 있다고 말합니다. 〈1일 10분 초등 메가 어휘력〉은 주제를 중심으로 어휘 사이의 관계를 이해하고 사고력, 창의력, 기억력을 높여 어휘를 효과적으로 학습할 수 있도록 합니다.

교과 선정 어휘로 구성하여 교과 학습을 도와줍니다.

〈1일 10분 초등 메가 어휘력〉은 초등 교과를 바탕으로 선정한 주제와 그와 관련된 어휘들로 이루어져 있습니다. 교과에서 선정한 어휘를 주제별로 묶어, 주제를 중심으로 어휘를 학습하면서 자연스러운 교과 학습뿐 아니라 교과목을 넘나드는 융합적인 어휘력을 기를 수 있습니다.

다양한 어휘 활동으로 어휘력을 향상시켜 줍니다.

무작정 외우는 학습법으로는 어휘를 다양하게 활용할 수 없습니다. 〈1일 10분 초등 메가 어휘력〉은 어휘와 어휘 사이의 관계를 파악하고 다양한 쓰임새를 학습하도록 구성하였습니다. 학습 어휘를 바탕으로 연상 어휘, 유의어, 반의어, 한자어, 상위어, 하위어, 속담, 관용구, 사자성어 등 다양한 문제를 제공하여 어휘력을 향상시키는 동시에 사고력도 키워 줍니다.

자기 주도적인 공부 습관을 길러 줍니다.

아이 스스로 공부할 수 있도록 이끌어 주려면 아이가 소화할 수 있는 학습량을 제시해 주어야 합니다. 〈1일 10분 초등 메가 어휘력〉은 1일 4쪽 분량으로 아이 혼자서도 부담 없이 재미있게 공부할 수 있도록 구성되어 있습니다. 어휘 그물을 채우고 문제를 푸는 반복적인 과정을 통해 어휘를 익히고, 스스로 어휘 그물을 그려 보며 자기 주도적인 공부 습관을 기를 수 있게 도와줍니다.

이 책의 구성

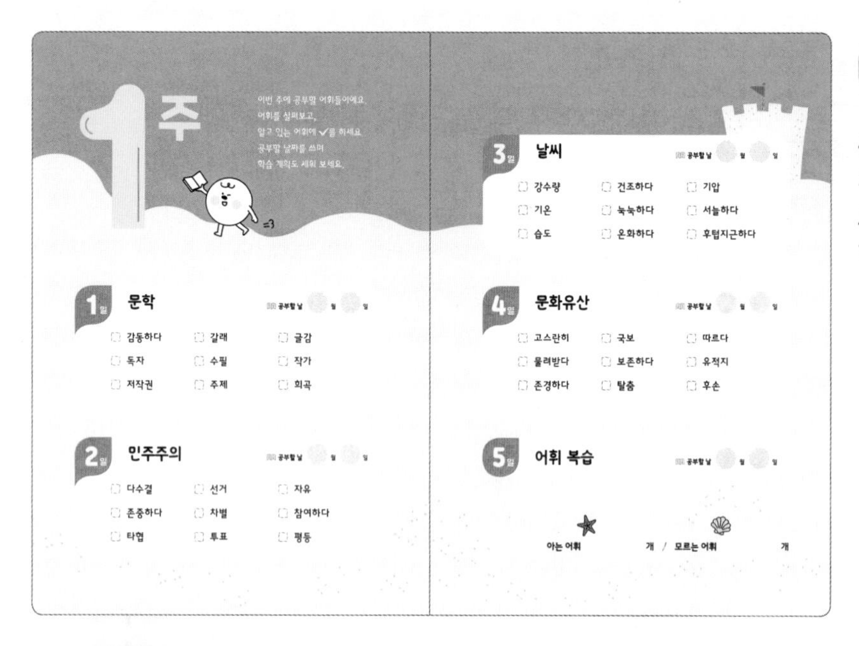

어휘 미리보기

본격적으로 학습하기 전에 주별 학습 어휘 주제를 미리 살펴봅니다. 아는 어휘와 모르는 어휘가 각각 얼마나 되는지 체크합니다.

어휘 그물

어휘의 설명을 읽고, 마인드맵 형식으로 표현한 어휘 그물의 빈칸을 채우며 주제별 어휘를 학습합니다. 어휘 그물의 학습 어휘는 생활과 밀접한 생활 어휘와 초등 학교 교과에서 주요하게 다루는 어휘로 선정하였습니다.

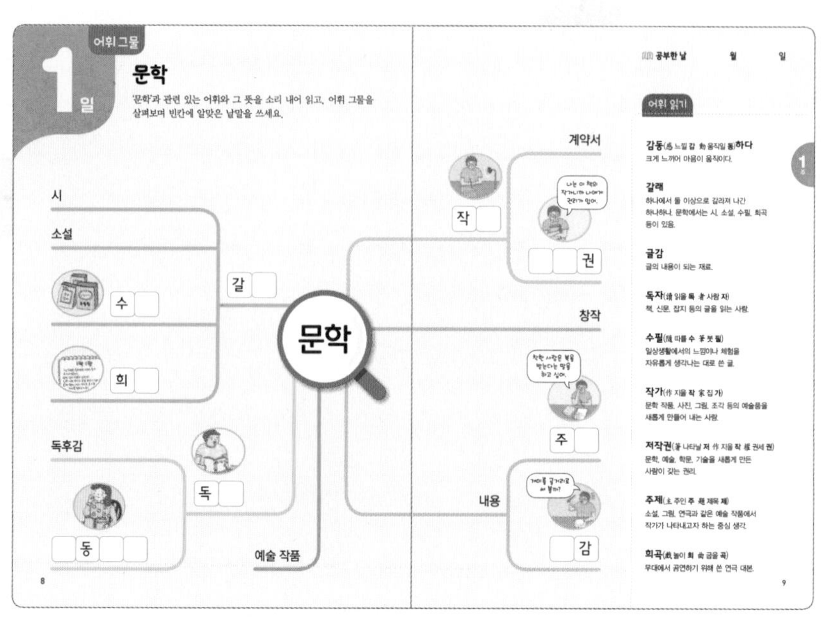

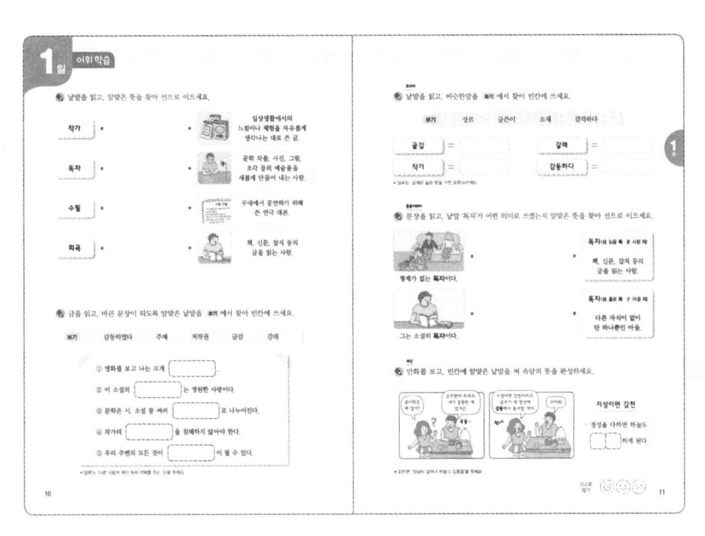

어휘 학습

문장 속에서 어휘를 활용한 문제, 어휘의 뜻을 명확하게 인지하는 문제로 확실하게 어휘를 익힙니다. 학습 어휘를 중심으로 연상 어휘, 비슷한말, 반대말, 포함하는 말, 포함되는 말을 배우며 어휘 간의 관계를 파악하고 어휘의 범위를 확장시킵니다. 속담, 사자성어, 관용구에 대해서도 알아봅니다.

어휘 복습

1~4일에서 학습한 어휘를 교과별로 분류하여 문제를 풀어 봅니다. 앞에서 배운 어휘의 뜻을 제대로 이해했는지 복습하고, 교과별로 새로 나온 어휘도 익혀 봅니다. 주제와 관련 있는 사자성어를 익히며 관련된 이야기도 읽어 봅니다.

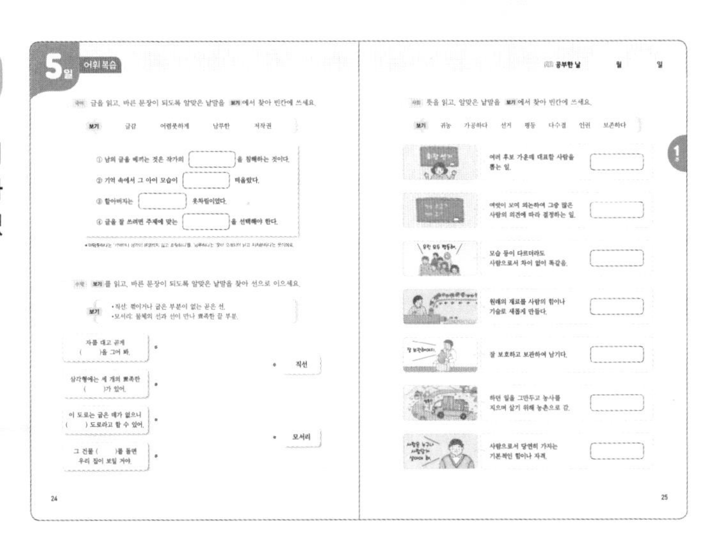

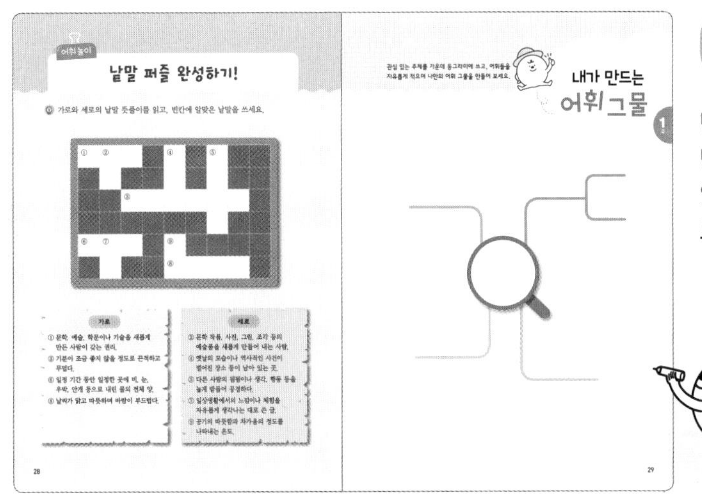

어휘 놀이 + 내가 만드는 어휘 그물

빈 곳에 들어갈 낱말 찾기, 숨어 있는 그림 찾기, 낱말 퍼즐, 빙고 등의 재미있는 놀이로 학습 어휘를 확인합니다. 관심 있는 주제와 관련 어휘들을 자유롭게 적어 나만의 어휘 그물도 만들어 봅니다.

이번 주에 공부할 어휘들이에요.
어휘를 살펴보고,
알고 있는 어휘에 ✓를 하세요.
공부할 날짜를 쓰며
학습 계획도 세워 보세요.

1일 문학

공부할 날 월 일

- [ ] 감동하다
- [ ] 갈래
- [ ] 글감
- [ ] 독자
- [ ] 수필
- [ ] 작가
- [ ] 저작권
- [ ] 주제
- [ ] 희곡

2일 민주주의

공부할 날 월 일

- [ ] 다수결
- [ ] 선거
- [ ] 자유
- [ ] 존중하다
- [ ] 차별
- [ ] 참여하다
- [ ] 타협
- [ ] 투표
- [ ] 평등

3일 날씨

공부할 날 월 일

- [ ] 강수량
- [ ] 건조하다
- [ ] 기압
- [ ] 기온
- [ ] 눅눅하다
- [ ] 서늘하다
- [ ] 습도
- [ ] 온화하다
- [ ] 후텁지근하다

4일 문화유산

공부할 날 월 일

- [ ] 고스란히
- [ ] 국보
- [ ] 따르다
- [ ] 물려받다
- [ ] 보존하다
- [ ] 유적지
- [ ] 존경하다
- [ ] 탈춤
- [ ] 후손

5일 어휘 복습

공부할 날 월 일

아는 어휘 개 / 모르는 어휘 개

문학

'문학'과 관련 있는 어휘와 그 뜻을 소리 내어 읽고, 어휘 그물을 살펴보며 빈칸에 알맞은 낱말을 쓰세요.

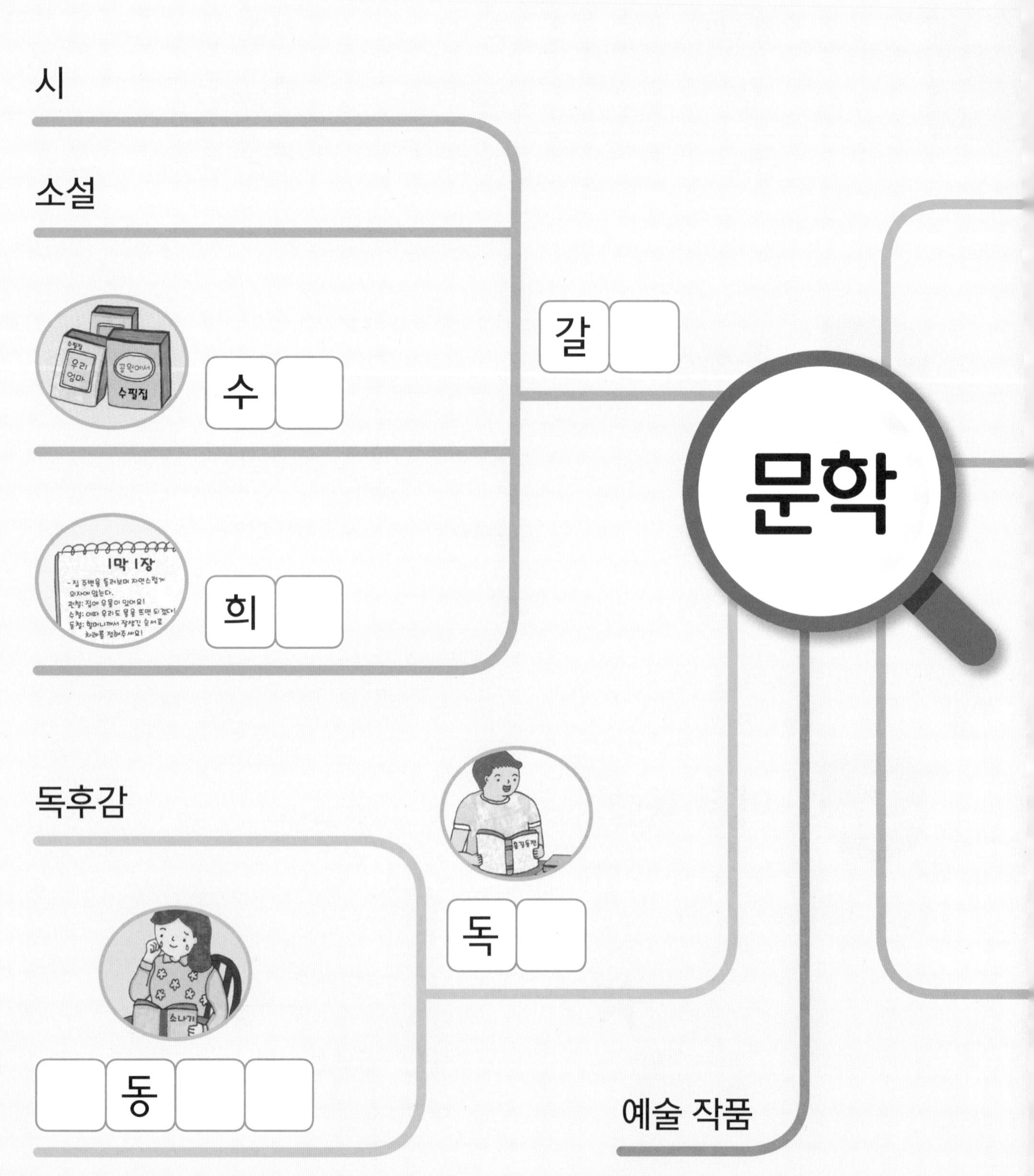

공부한 날 월 일

계약서

작 [ ]

나는 이 책의 작가니까 나에게 권리가 있어.

[ ] [ ] 권

창작

내용

어휘 읽기

감동(感 느낄 **감** 動 움직일 **동**)**하다**
크게 느끼어 마음이 움직이다.

갈래
하나에서 둘 이상으로 갈라져 나간 하나하나. 문학에서는 시, 소설, 수필, 희곡 등이 있음.

글감
글의 내용이 되는 재료.

독자(讀 읽을 **독** 者 사람 **자**)
책, 신문, 잡지 등의 글을 읽는 사람.

수필(隨 따를 **수** 筆 붓 **필**)
일상생활에서의 느낌이나 체험을 자유롭게 생각나는 대로 쓴 글.

작가(作 지을 **작** 家 집 **가**)
문학 작품, 사진, 그림, 조각 등의 예술품을 새롭게 만들어 내는 사람.

저작권(著 나타날 **저** 作 지을 **작** 權 권세 **권**)
문학, 예술, 학문, 기술을 새롭게 만든 사람이 갖는 권리.

주제(主 주인 **주** 題 제목 **제**)
소설, 그림, 연극과 같은 예술 작품에서 작가가 나타내고자 하는 중심 생각.

희곡(戲 놀이 **희** 曲 굽을 **곡**)
무대에서 공연하기 위해 쓴 연극 대본.

1일 어휘 학습

낱말을 읽고, 알맞은 뜻을 찾아 선으로 이으세요.

작가	일상생활에서의 느낌이나 체험을 자유롭게 생각나는 대로 쓴 글.
독자	문학 작품, 사진, 그림, 조각 등의 예술품을 새롭게 만들어 내는 사람.
수필	무대에서 공연하기 위해 쓴 연극 대본.
희곡	책, 신문, 잡지 등의 글을 읽는 사람.

글을 읽고, 바른 문장이 되도록 알맞은 낱말을 보기 에서 찾아 빈칸에 쓰세요.

보기 감동하였다 주제 저작권 글감 갈래

① 영화를 보고 나는 크게 (　　　).

② 이 소설의 (　　　)는 영원한 사랑이다.

③ 문학은 시, 소설 등 여러 (　　　)로 나누어진다.

④ 작가의 (　　　)을 침해하지 않아야 한다.

⑤ 우리 주변의 모든 것이 (　　　)이 될 수 있다.

*'침해'는 '다른 사람의 재산 등에 피해를 주는 것'을 뜻해요.

유의어

낱말을 읽고, 비슷한말을 보기 에서 찾아 빈칸에 쓰세요.

보기 장르 글쓴이 소재 감격하다

글감	=		갈래	=
작가	=		감동하다	=

*'장르'는 '갈래와 같은 뜻을 가진 프랑스어'예요.

동음이의어

문장을 읽고, 낱말 '독자'가 어떤 의미로 쓰였는지 알맞은 뜻을 찾아 선으로 이으세요.

형제가 없는 **독자**이다.

그는 소설의 **독자**이다.

독자(讀 읽을 **독** 者 사람 **자**)
책, 신문, 잡지 등의 글을 읽는 사람.

독자(獨 홀로 **독** 子 아들 **자**)
다른 자식이 없이 단 하나뿐인 아들.

속담

만화를 보고, 빈칸에 알맞은 낱말을 써 속담의 뜻을 완성하세요.

지성이면 감천

➡ 정성을 다하면 하늘도 ☐☐하게 된다.

*'감천'은 '정성이 깊어서 하늘이 감동함'을 뜻해요.

스스로 평가

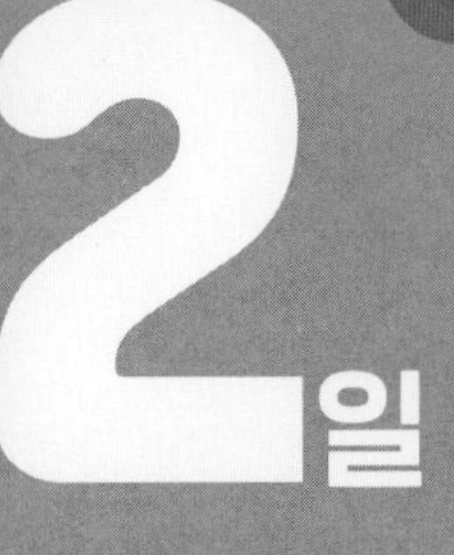

민주주의

'민주주의'와 관련 있는 어휘와 그 뜻을 소리 내어 읽고,
어휘 그물을 살펴보며 빈칸에 알맞은 낱말을 쓰세요.

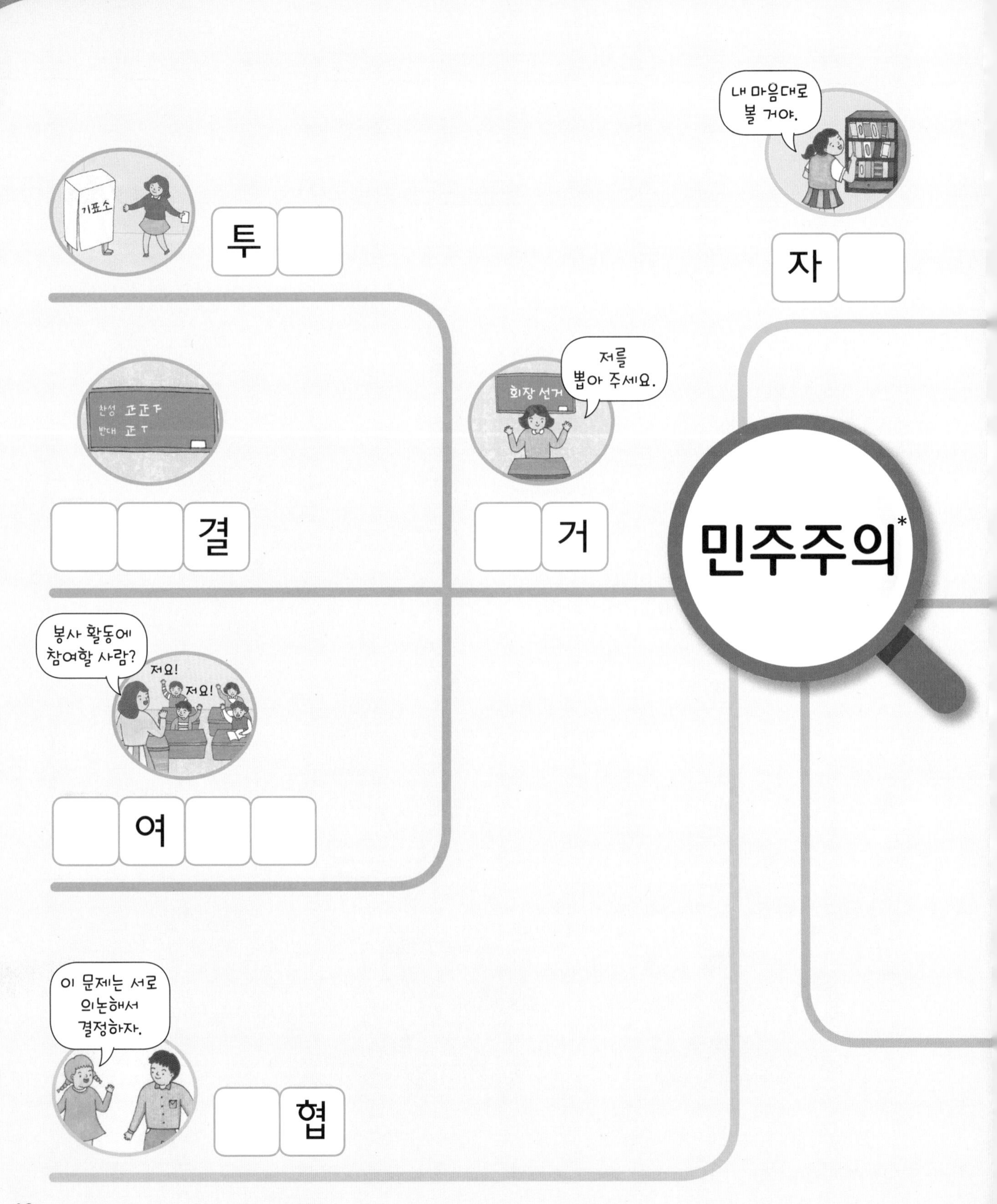

누리다

자유롭다

서로 존

대화

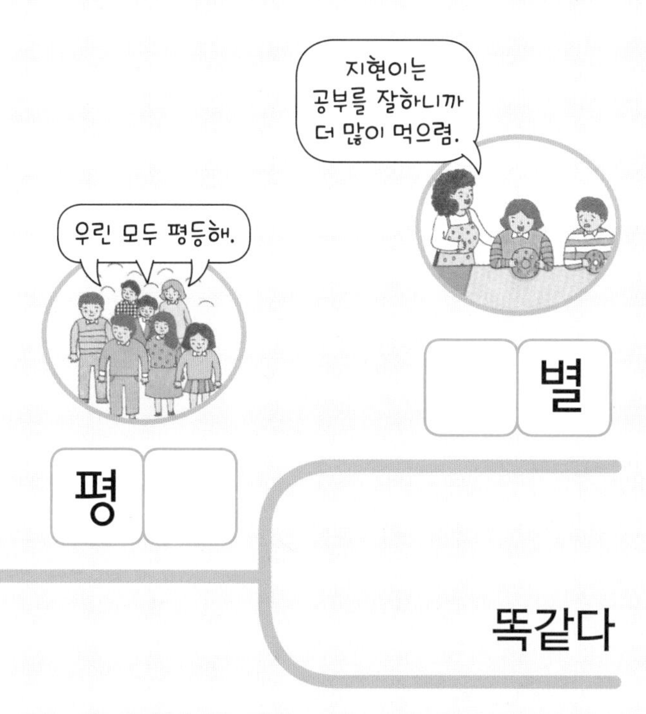

별

평

똑같다

*민주주의: 국민의 행복을 위하여 국민 스스로가 나라의 주인이 되어 나라를 다스리는 정치 제도.

어휘 읽기

다수결(多 많을 **다** 數 셈 **수** 決 결단할 **결**)
여럿이 모여 의논하여 그중 많은 사람의 의견에 따라 결정하는 일.

선거(選 가릴 **선** 擧 들 **거**)
여러 후보 가운데 대표할 사람을 뽑는 일.

자유(自 스스로 **자** 由 말미암을 **유**)
어떤 것에도 얽매이지 않고 자기 마음대로 할 수 있는 상태.

존중(尊 높을 **존** 重 무거울 **중**)**하다**
높게 받들어 귀하고 중요하게 대하다.

차별(差 다를 **차** 別 나눌 **별**)
둘 이상의 대상에 차이를 두고 구별함.

참여(參 참여할 **참** 與 더불 **여**)**하다**
어떤 일에 끼어들어 행동하다.

타협(妥 온당할 **타** 協 화합할 **협**)
어떤 일을 서로 좋도록 양보하고 의논함.

투표(投 던질 **투** 票 표 **표**)
선거를 하거나 무언가를 결정할 때에 정해진 종이에 자신의 생각을 표시하여 내는 일.

평등(平 평평할 **평** 等 무리 **등**)
여자와 남자, 아이와 어른처럼 모습 등이 다르더라도 사람으로서 차이 없이 똑같음.

2일 어휘 학습

뜻을 읽고, 알맞은 낱말을 보기 에서 찾아 빈칸에 쓰세요.

보기 존중하다 평등 투표 다수결

기표소

선거를 하거나 무언가를 결정할 때에 정해진 종이에 자신의 생각을 표시하여 내는 일. [ ]

높게 받들어 귀하고 중요하게 대하다. [ ]

찬성 正正下
반대 正下

여럿이 모여 의논하여 그중 많은 사람의 의견에 따라 결정하는 일. [ ]

우린 모두 평등해.

여자와 남자, 아이와 어른처럼 모습 등이 다르더라도 사람으로서 차이 없이 똑같음. [ ]

글을 읽고, 바른 문장이 되도록 알맞은 낱말을 찾아 ○ 하세요.

① 시험이 끝났으니, 마음껏 **(회의, 자유)**를 누려야지.

② 엄마는 오빠와 나를 **(대화, 차별)**한다.

③ 지금부터 4학년 2반 회장 **(선거, 자유)**를 시작하겠습니다.

④ 그는 축제에 **(평등하기, 참여하기)** 위해 서둘러 움직였다.

⑤ 어려운 문제도 양보와 **(타협, 싸움)**을 하면 해결된다.

유의어

낱말을 읽고, 비슷한말을 보기 에서 찾아 빈칸에 쓰세요.

보기 동등 참가하다

참여하다 = ☐ 평등 = ☐

한자어

'다(多)'와 '평(平)'의 뜻을 읽고, 알맞은 낱말을 보기 에서 찾아 빈칸에 쓰세요.

보기 다양하다 평야 다문화 평면

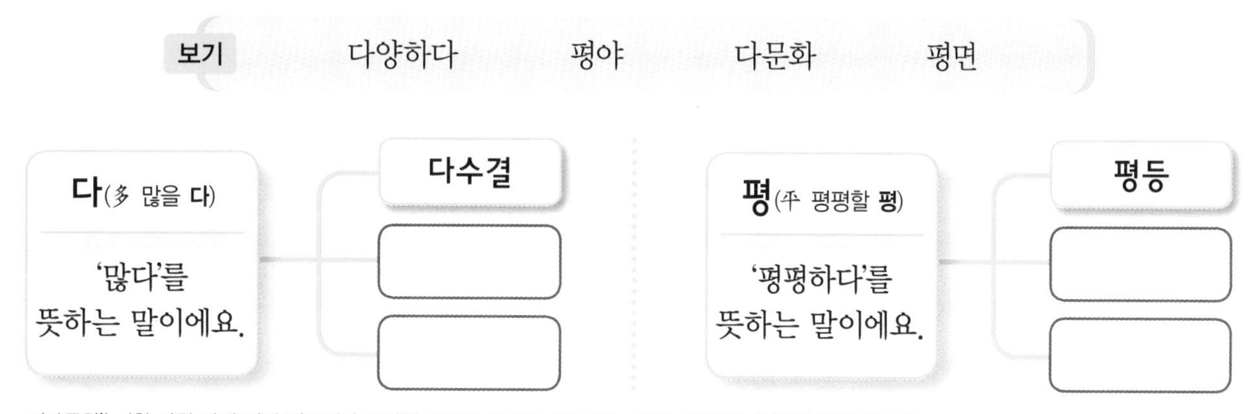

*'다문화'는 '한 사회 안에 여러 민족이나 국가의 다양한 문화가 섞여 있는 것'을, '평면'은 '평평한 면'을 뜻해요.

속담

만화를 보고, 빈칸에 알맞은 낱말을 써 속담의 뜻을 완성하세요.

사람 위에 사람 없고 사람 밑에 사람 없다

➡ 사람은 태어날 때부터 모두 ☐☐하다.

스스로 평가

어휘 그물

3일

날씨

'날씨'와 관련 있는 어휘와 그 뜻을 소리 내어 읽고, 어휘 그물을 살펴보며 빈칸에 알맞은 낱말을 쓰세요.

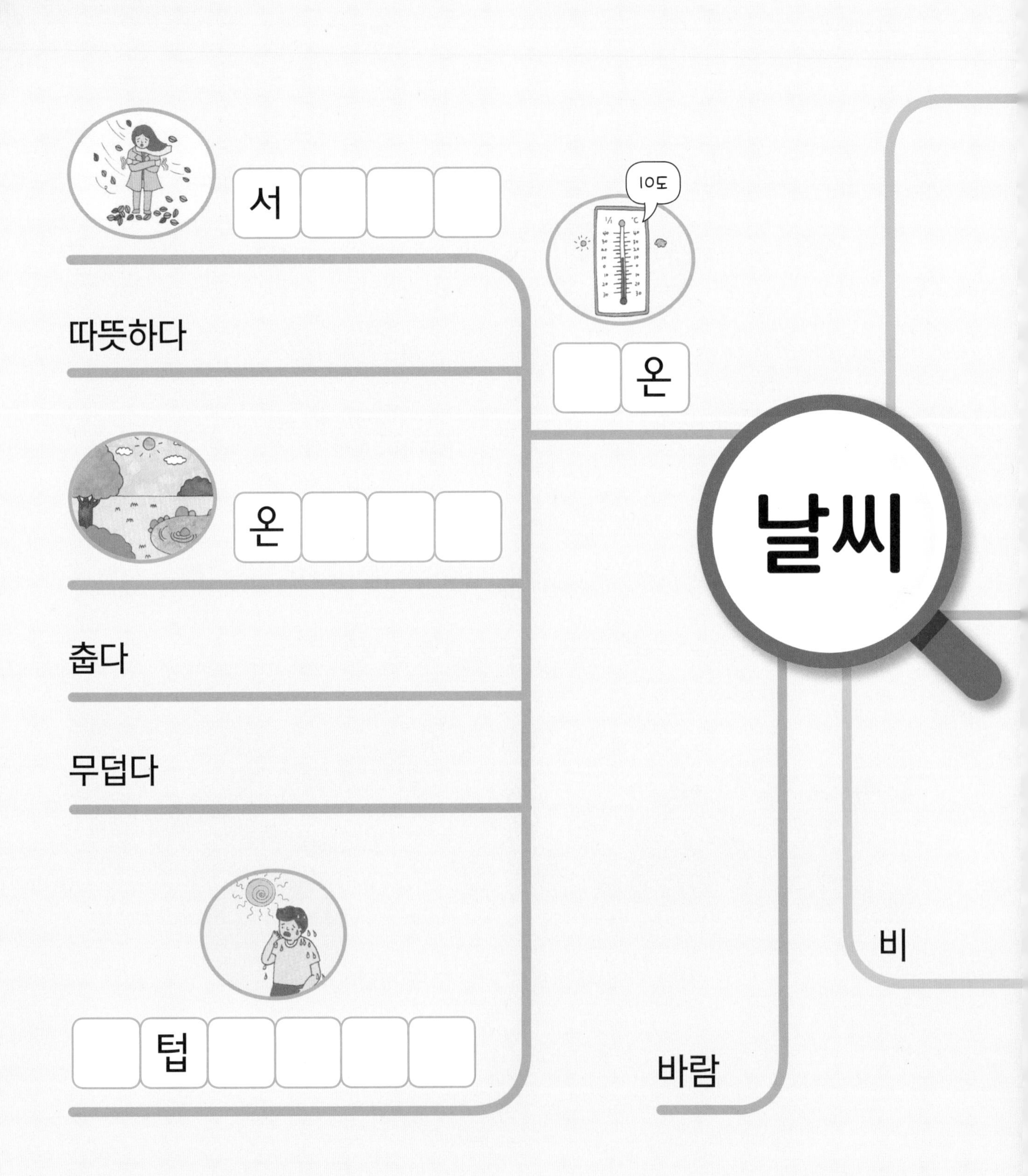

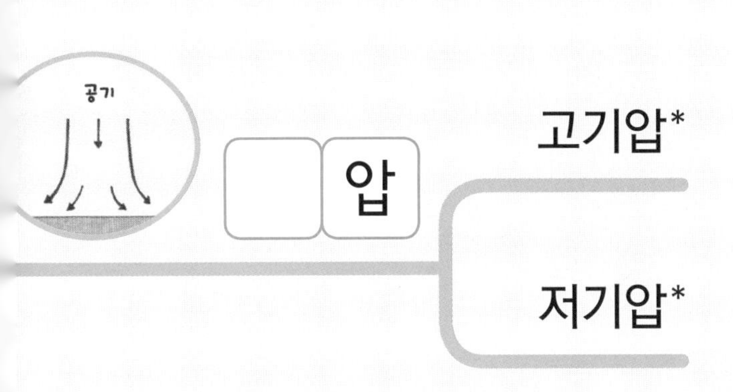

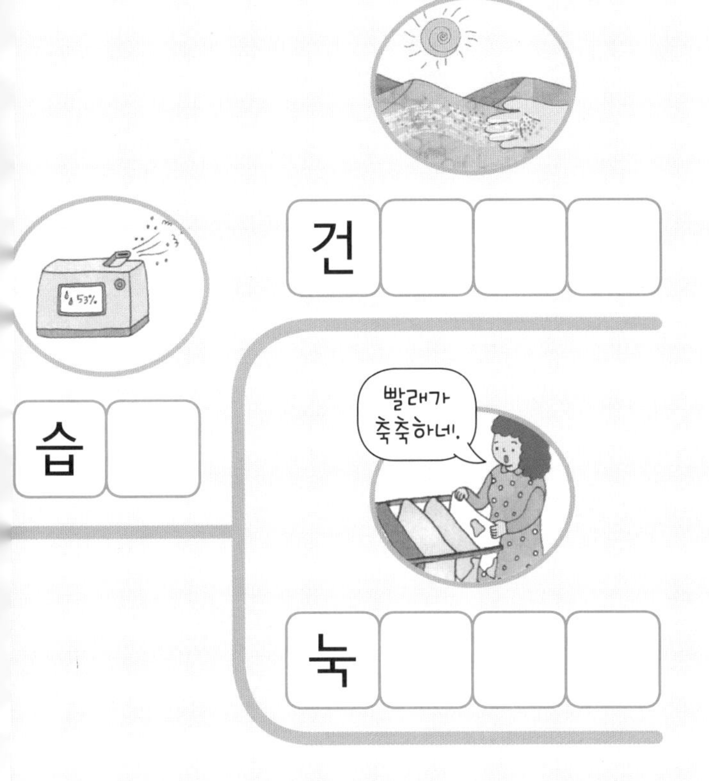

호우*

***고기압:** 주변보다 기압이 높은 곳.
***저기압:** 주변보다 기압이 낮은 곳.
***호우:** 세차게 계속해서 내리는 많은 비.

어휘 읽기

강수량(降 내릴 **강** 水 물 **수** 量 헤아릴 **량**)
일정 기간 동안 일정한 곳에 비, 눈, 우박, 안개 등으로 내린 물의 전체 양.

건조(乾 마를 **건** 燥 마를 **조**)**하다**
물기가 모두 말라서 없다.

기압(氣 기운 **기** 壓 누를 **압**)
공기가 누르는 힘.

기온(氣 기운 **기** 溫 따뜻할 **온**)
공기의 따뜻함과 차가움의 정도를 나타내는 온도.

눅눅하다
물이나 기름기로 축축한 느낌이 약간 있다.

서늘하다
물체의 온도나 기온이 꽤 찬 느낌이 있다.

습도(濕 젖을 **습** 度 법도 **도**)
공기 속에 수증기가 들어 있는 정도.

온화(溫 따뜻할 **온** 和 화할 **화**)**하다**
날씨가 맑고 따뜻하며 바람이 부드럽다.

후텁지근하다
기분이 조금 좋지 않을 정도로 끈적하고 무덥다.

3일 어휘 학습

낱말을 읽고, 알맞은 뜻을 찾아 선으로 이으세요.

서늘하다	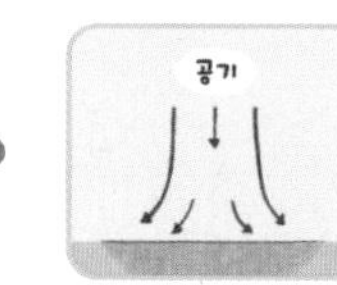	공기가 누르는 힘.
기압		일정 기간 동안 일정한 곳에 내린 비나 눈 같은 물의 전체 양.
강수량		공기 속에 수증기가 들어 있는 정도.
습도		물체의 온도나 기온이 꽤 찬 느낌이 있다.

글을 읽고, 바른 문장이 되도록 알맞은 낱말을 보기 에서 찾아 빈칸에 쓰세요.

보기 기온 온화하다 눅눅한 후텁지근했다 건조하다

① 사막은 비가 잘 내리지 않아 무척 (　　　　).

② 선선한 가을이 그리울 정도로 날씨가 무덥고 (　　　　).

③ 오후 2~3시 사이가 하루 중 (　　　　)이 가장 높다.

④ 따스한 봄바람이 부는 4월은 날씨가 참 (　　　　).

⑤ 농부는 땀에 젖은 (　　　　) 옷을 벗었다.

연상 어휘

그림을 보고, 떠오르는 낱말을 보기 에서 찾아 빈칸에 쓰세요.

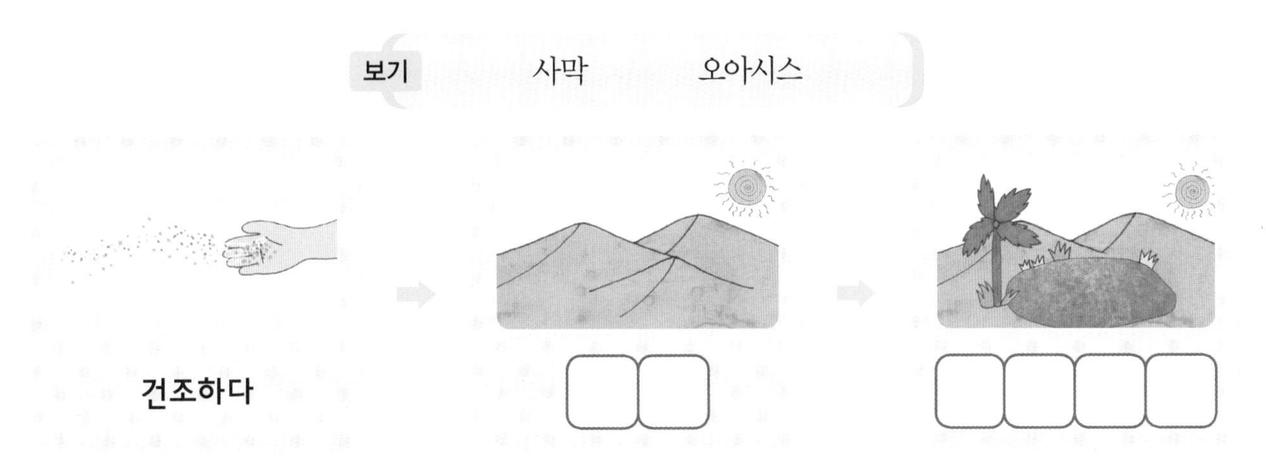

*'오아시스'는 '사막에서 물이 나오고, 풀과 나무가 자라는 곳'을 뜻해요.

반의어

낱말을 읽고, 반대말을 보기 에서 찾아 빈칸에 쓰세요.

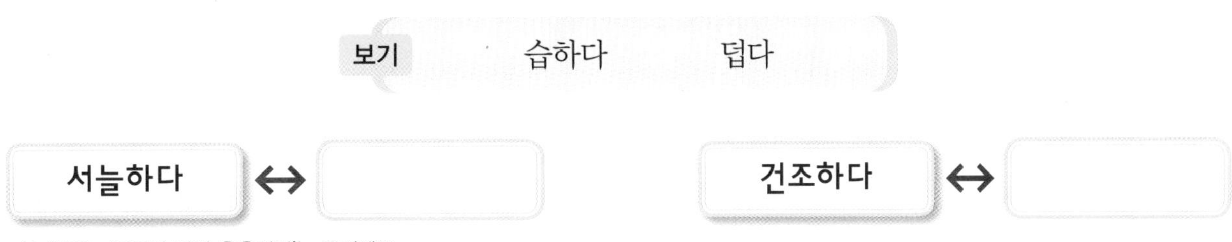

*'습하다'는 '물기가 많아 축축하다'는 뜻이에요.

관용구 · 속담

뜻을 읽고, 바른 글이 되도록 알맞은 낱말을 보기 에서 찾아 빈칸에 쓰세요.

보기 눈 비

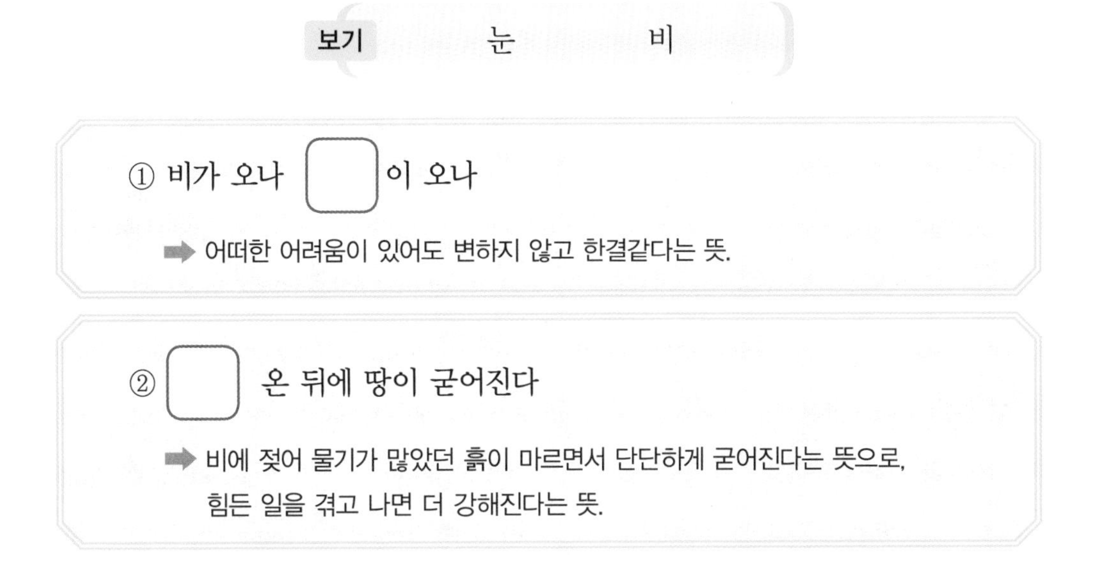

스스로 평가

어휘 그물

문화유산

'문화유산'과 관련 있는 어휘와 그 뜻을 소리 내어 읽고, 어휘 그물을 살펴보며 빈칸에 알맞은 낱말을 쓰세요.

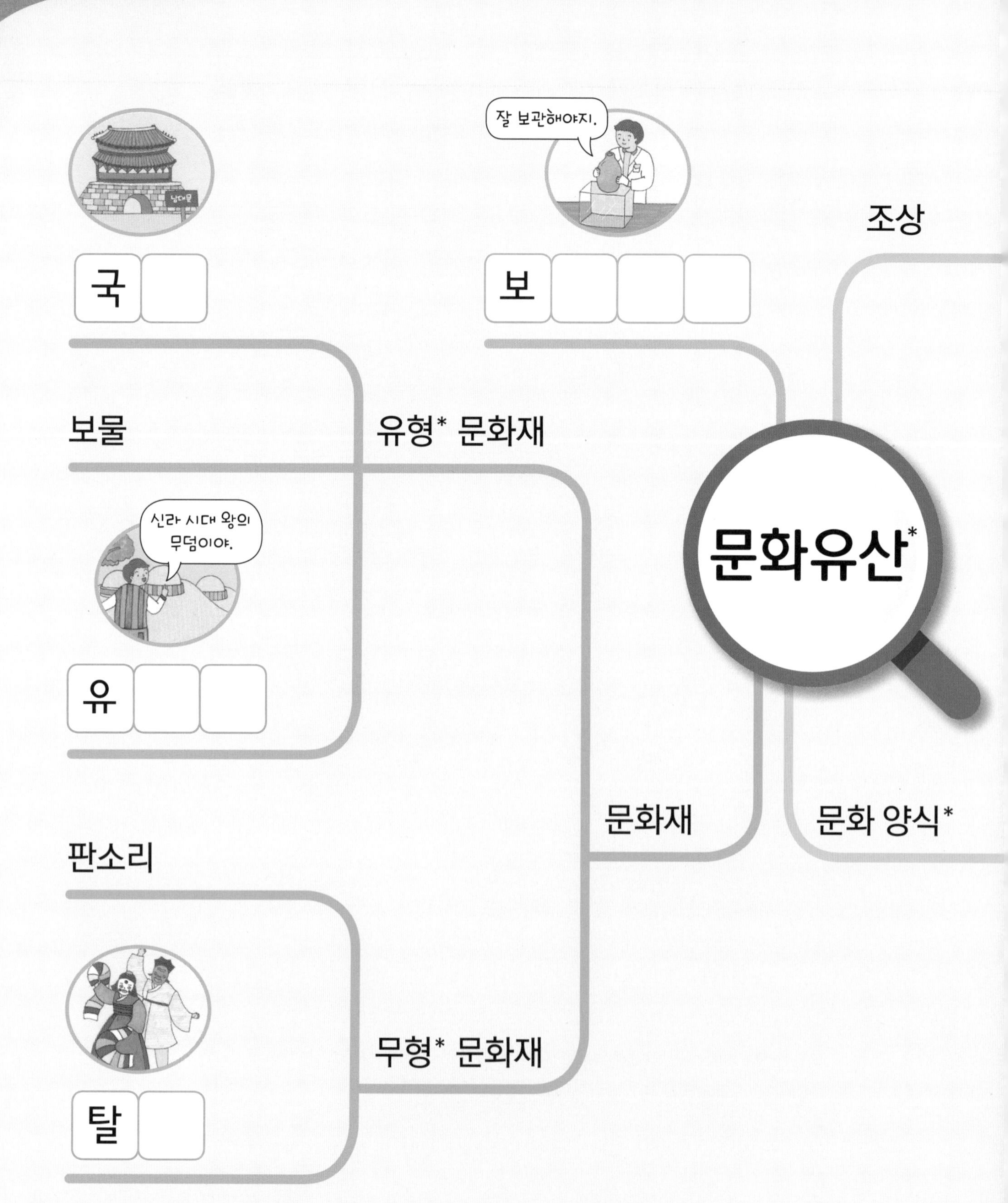

*무형: 형태가 없음.
*문화유산: 옛날부터 전해져 오는 귀한 문화재나 문화 양식.
*양식: 오랜 기간이 지나면서 자연히 정하여진 방식.
*유형: 형태가 있음.

어휘 읽기

고스란히
건드리지 않아 조금도 변하지 않고
원래 모습 그대로 온전하게.

국보(國 나라 **국** 寶 보배 **보**)
나라에서 정하여 법으로 보호하는
문화재.

따르다
예전부터 하던 것, 유행이나 명령, 의견 등을
그대로 하다.

물려받다
재물이나 지위(한 사람이 사회 안에서 갖는
위치나 자리) 또는 학문이나 기술, 예술 등을
이어받다.

보존(保 지킬 **보** 存 있을 **존**)**하다**
잘 보호하고 보관하여 남기다.

유적지(遺 남길 **유** 跡 발자취 **적** 地 땅 **지**)
옛날의 모습이나 역사적인 사건이 벌어진
장소 등이 남아 있는 곳.

존경(尊 높을 **존** 敬 공경 **경**)**하다**
다른 사람의 됨됨이나 생각, 행동 등을
높게 받들어 공경하다.

탈춤
탈을 쓰고 추는 춤으로, 가면극이라고도 함.

후손(後 뒤 **후** 孫 손자 **손**)
자신의 세대(어린이가 커서 부모가 될
때까지 약 30년 정도의 기간)에서
여러 세대가 지난 뒤의 자녀를 부르는 말.

4일 어휘 학습

낱말을 읽고, 알맞은 뜻을 찾아 선으로 이으세요.

탈춤	나라에서 정하여 법으로 보호하는 문화재.
국보	탈을 쓰고 추는 춤으로, 가면극이라고도 함.
보존하다	잘 보호하고 보관하여 남기다.
물려받다	재물이나 지위 또는 학문이나 기술, 예술 등을 이어받다.

글을 읽고, 바른 문장이 되도록 알맞은 낱말을 찾아 ○ 하세요.

① 승아는 용돈을 쓰지 않고 **(격렬하게, 고스란히)** 저축했다.

② 이웃 마을에서 새로운 **(유적지, 나라)**가 발견되었다.

③ 군인은 명령을 **(따른다, 보관한다)**.

④ 나는 아버지를 제일 **(후회한다, 존경한다)**.

⑤ 우리는 **(조상, 후손)**에게 깨끗한 환경을 물려주어야 한다.

*'격렬하다'는 '말이나 행동이 세고 사납다'는 뜻이에요.

유의어 · 반의어

낱말을 읽고, 낱말의 뜻이 서로 비슷하면 '='를, 반대이면 '↔'를 ◯ 안에 쓰세요.

*'얕보다'는 '어떤 기준보다 낮게 보고 무시하며 깔보다'라는 뜻이에요.

상위어 · 하위어

낱말을 읽고, 알맞은 낱말을 보기 에서 찾아 빈칸에 쓰세요.

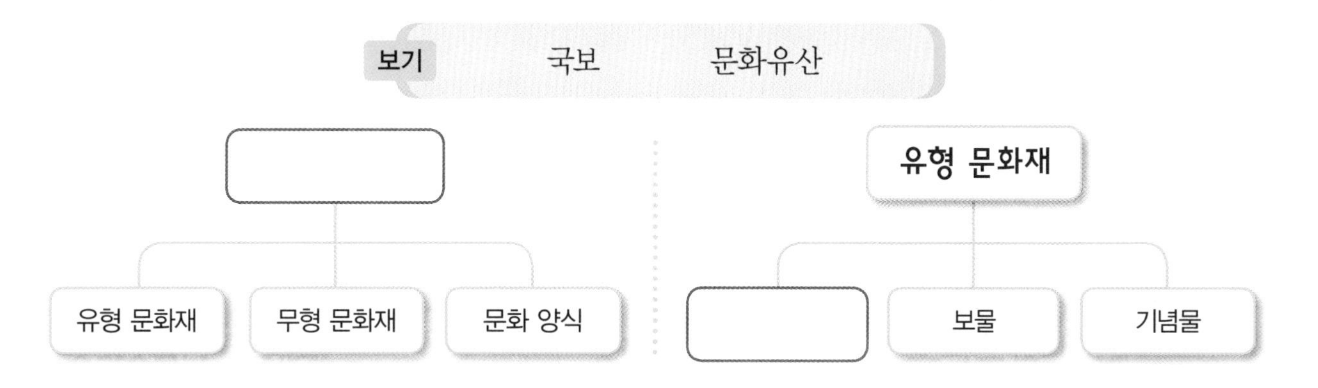

속담

'존(尊)'과 '후(後)'의 뜻을 읽고, 알맞은 낱말을 보기 에서 찾아 빈칸에 쓰세요.

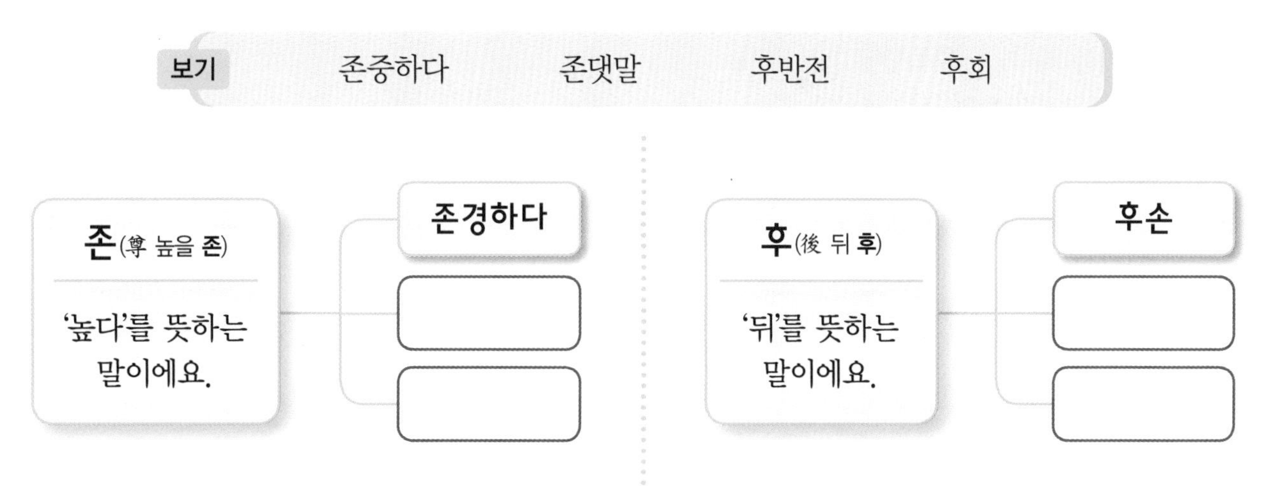

*'존댓말'은 '높임말'을, '후반전'은 '운동 경기에서 경기 시간을 반씩 둘로 나눈 것의 뒤쪽 경기'를 뜻해요.

스스로 평가

5일 어휘 복습

국어 글을 읽고, 바른 문장이 되도록 알맞은 낱말을 보기 에서 찾아 빈칸에 쓰세요.

보기 글감 어렴풋하게 남루한 저작권

① 남의 글을 베끼는 것은 작가의 [ ] 을 침해하는 것이다.

② 기억 속에서 그 아이 모습이 [ ] 떠올랐다.

③ 할아버지는 [ ] 옷차림이었다.

④ 글을 잘 쓰려면 주제에 맞는 [ ] 을 선택해야 한다.

*'어렴풋하다'는 '기억이나 생각이 분명하지 않고 흐릿하다'를, '남루하다'는 '옷이 오래되어 낡고 지저분하다'는 뜻이에요.

수학 보기 를 읽고, 바른 문장이 되도록 알맞은 낱말을 찾아 선으로 이으세요.

보기
- 직선: 꺾이거나 굽은 부분이 없는 곧은 선.
- 모서리: 물체의 선과 선이 만나 뾰족한 끝 부분.

자를 대고 곧게 ( )을 그어 봐. •

삼각형에는 세 개의 뾰족한 ( )가 있어. •

이 도로는 굽은 데가 없으니 ( ) 도로라고 할 수 있어. •

그 건물 ( )를 돌면 우리 집이 보일 거야. •

• 직선

• 모서리

사회 뜻을 읽고, 알맞은 낱말을 보기 에서 찾아 빈칸에 쓰세요.

보기 귀농 가공하다 선거 평등 다수결 인권 보존하다

여러 후보 가운데 대표할 사람을 뽑는 일.

여럿이 모여 의논하여 그중 많은 사람의 의견에 따라 결정하는 일.

모습 등이 다르더라도 사람으로서 차이 없이 똑같음.

원래의 재료를 사람의 힘이나 기술로 새롭게 만들다.

잘 보호하고 보관하여 남기다.

하던 일을 그만두고 농사를 지으며 살기 위해 농촌으로 감.

사람으로서 당연히 가지는 기본적인 힘이나 자격.

과학 낱말을 읽고, 알맞은 뜻을 찾아 선으로 이으세요.

새순	새로 돋아나는 연한 싹.
서식지	다 자란 곤충.
성충	생물이 일정한 곳에 자리를 잡고 사는 곳.

과학 글을 읽고, 바른 문장이 되도록 알맞은 낱말을 보기에서 찾아 빈칸에 쓰세요.

보기 건조하다 분리할 전달했다 꼬투리 습도 채집

① 장마철에는 비가 많이 와서 [ ] 가 높다.

② 가뭄이 심해져 콩의 [ ] 가 모두 말랐다.

③ 흙탕물은 흙과 물로 [ ] 수 있다.

④ 옛날에는 방학 때 나비나 잠자리 같은 곤충을 [ ] 했다.

⑤ 경찰관은 보관 중이던 물건을 주인에게 안전하게 [ ].

⑥ 오랫동안 비가 내리지 않아 무척 [ ].

*'분리하다'는 '하나를 둘 이상으로 나누다'를, '전달하다'는 '명령, 지시, 물건 등을 다른 사람이나 단체 등에 전하다'를, '꼬투리'는 '콩 씨앗을 싸고 있는 껍질'을, '채집'은 '잡아서 모음'을 뜻해요.

사자성어 '온고지신'에 대한 글을 읽고, 물음에 답하세요.

온고지신(溫故知新)

'온고지신(溫故知新)'은 '溫(쌓을 온)', '故(옛 고)', '知(알 지)', '新(새 신)' 자를 써서 '옛것을 쌓아서 새로운 것을 안다'는 뜻이에요. 이 말은 중국의 유명한 학자인 공자가 한 말이에요. 공자는 가난한 환경 속에서도 열심히 공부해 중국에서 높은 벼슬까지 오른 사람이지요. 공자는 세상이 바르게 되려면 나라를 다스리는 사람이 올바른 사람이 되어야 한다고 생각했어요. 그래서 제자들에게도 자신의 이런 생각을 가르치고 강조했지요. 공자가 죽은 뒤 공자의 제자들이 이런 공자의 가르침과 말씀을 담은 책을 만들었는데, 그 책이 〈논어〉예요. 논어에 나오는 공자의 말 중에 '옛것을 쌓아 새것을 알면 남의 스승이 될 수 있다'는 말에서 나온 사자성어가 바로 온고지신이지요. 요즘같이 세상이 빠르게 바뀌고 변해 가는 시대에 옛것에 대한 소중함을 다시 한 번 일깨워 주는 사자성어라고 할 수 있지요.

1. '옛것을 쌓아서 새로운 것을 안다'는 뜻의 사자성어를 빈칸에 쓰세요.

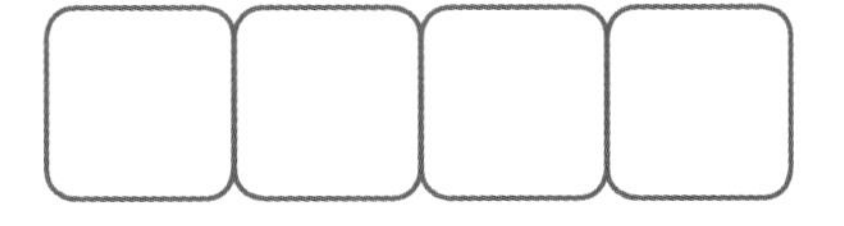

2. '온고지신'의 뜻을 생각하며, '온고지신'이 들어간 짧은 글짓기를 하세요.

스스로 평가

낱말 퍼즐 완성하기!

가로와 세로의 낱말 뜻풀이를 읽고, 빈칸에 알맞은 낱말을 쓰세요.

가로

① 문학, 예술, 학문이나 기술을 새롭게 만든 사람이 갖는 권리.

③ 기분이 조금 좋지 않을 정도로 끈적하고 무덥다.

⑥ 일정 기간 동안 일정한 곳에 비, 눈, 우박, 안개 등으로 내린 물의 전체 양.

⑧ 날씨가 맑고 따뜻하며 바람이 부드럽다.

세로

② 문학 작품, 사진, 그림, 조각 등의 예술품을 새롭게 만들어 내는 사람.

④ 옛날의 모습이나 역사적인 사건이 벌어진 장소 등이 남아 있는 곳.

⑤ 다른 사람의 됨됨이나 생각, 행동 등을 높게 받들어 공경하다.

⑦ 일상생활에서의 느낌이나 체험을 자유롭게 생각나는 대로 쓴 글.

⑨ 공기의 따뜻함과 차가움의 정도를 나타내는 온도.

관심 있는 주제를 가운데 동그라미에 쓰고, 어휘들을
자유롭게 적으며 나만의 어휘 그물을 만들어 보세요.

내가 만드는 어휘 그물

1주

2주

이번 주에 공부할 어휘들이에요.
어휘를 살펴보고,
알고 있는 어휘에 ✓를 하세요.
공부할 날짜를 쓰며
학습 계획도 세워 보세요.

1일 시

공부할 날 월 일

- ☐ 낭송
- ☐ 반복
- ☐ 비유
- ☐ 빗대다
- ☐ 생생하다
- ☐ 암송
- ☐ 연
- ☐ 표현
- ☐ 행

2일 명절

공부할 날 월 일

- ☐ 무치다
- ☐ 부럼
- ☐ 쇠다
- ☐ 연휴
- ☐ 오곡밥
- ☐ 장만하다
- ☐ 체증
- ☐ 화전
- ☐ 휘영청하다

3일 환경 오염

공부할 날 월 일

- [ ] 대기
- [ ] 배기가스
- [ ] 산성비
- [ ] 수질
- [ ] 스모그
- [ ] 오물
- [ ] 탁하다
- [ ] 토양
- [ ] 폐수

4일 소설

공부할 날 월 일

- [ ] 간사하다
- [ ] 갈등
- [ ] 배경
- [ ] 사건
- [ ] 실감
- [ ] 어질다
- [ ] 용맹하다
- [ ] 인물
- [ ] 청렴하다

5일 어휘 복습

공부할 날 월 일

아는 어휘 개 / 모르는 어휘 개

어휘 그물

1일

시

'시'와 관련 있는 어휘와 그 뜻을 소리 내어 읽고, 어휘 그물을 살펴보며 빈칸에 알맞은 낱말을 쓰세요.

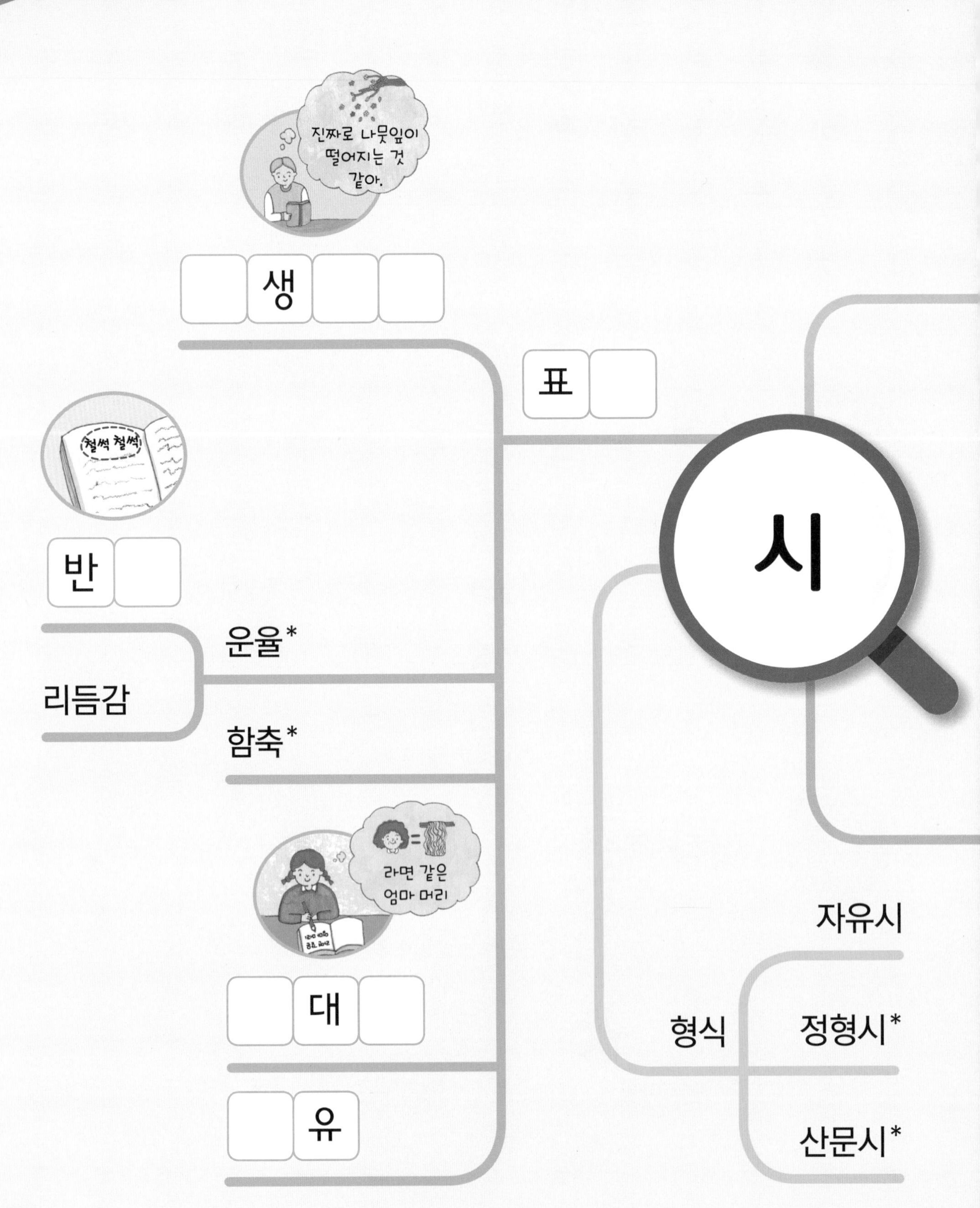

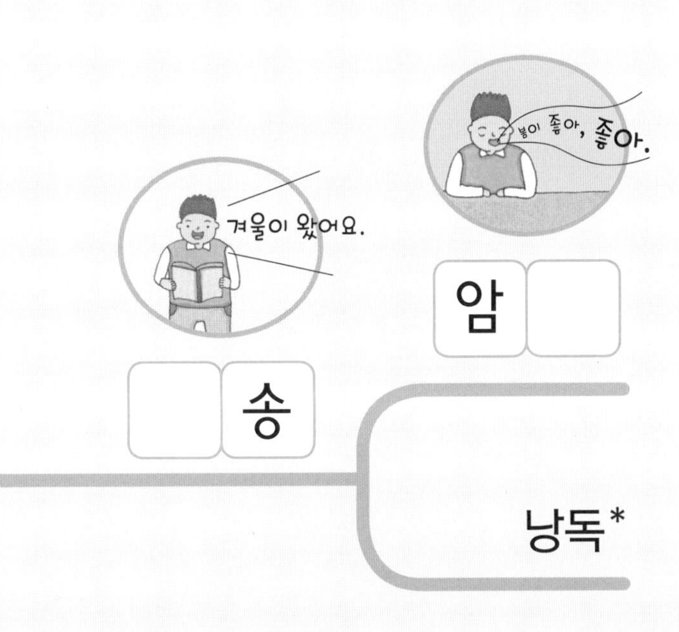

*낭독: 시와 같은 글을 소리 내어 읽음.
*산문시: 행과 연의 구분이 없는 시.
*운율: 시에서 같은 말이 반복되거나 하여 느껴지는 리듬감.
*정형시: 형식이 정해져 있는 시.
*함축: 문학 작품에서 일반적인 한 가지가 아닌 여러 가지의 뜻을 담음.

어휘 읽기

낭송(朗 밝을 **낭** 誦 외울 **송**)
시와 같은 글을 크게 소리를 내어 읽거나 외움.

반복(反 돌이킬 **반** 復 회복할 **복**)
같은 말이나 일을 여러 번 자꾸 함.

비유(比 견줄 **비** 喩 깨우칠 **유**)
어떤 일이나 물건을 더 잘 나타내기 위해 그것과 비슷한 것으로 대신하여 설명하는 것.

빗대다
물건이나 사람에 대하여 곧바로 말하지 않고 빙 둘러서 말하다.

생생하다
흐릿하지 않고 바로 눈앞에 보이는 것처럼 또렷하고 분명하다.

암송(暗 어두울 **암** 誦 외울 **송**)
시와 같은 글을 보지 않은 채 입으로 외움.

연(聯 연이을 **연**)
시에서 여러 행을 모아 묶은 한 덩어리.

표현(表 겉 **표** 現 나타날 **현**)
생각이나 느낌을 말이나 글, 몸짓으로 드러내어 나타냄.

행(行 다닐 **행**)
시에서 가로나 세로로 쓴 한 줄.

낱말을 읽고, 알맞은 뜻을 찾아 선으로 이으세요.

행 •		• 시와 같은 글을 크게 소리를 내어 읽거나 외움.
연 •		• 같은 말이나 일을 여러 번 자꾸 함.
낭송 •		• 시에서 가로나 세로로 쓴 한 줄.
반복 •		• 시에서 여러 행을 모아 묶은 한 덩어리.

글을 읽고, 바른 문장이 되도록 알맞은 낱말을 보기 에서 찾아 빈칸에 쓰세요.

보기 생생하게 암송 비유 표현 빗대었다

① 그는 그녀의 불그스름한 볼을 빨간 사과에 (　　　　) 했다.

② 시인은 눈을 감고 떨리는 목소리로 시를 (　　　　) 했다.

③ 무용수는 백조의 모습을 우아한 춤으로 (　　　　) 했다.

④ 그 시인은 둥근 보름달을 아기의 동그란 얼굴에 (　　　　).

⑤ 잠에서 깼는데 방금 꾼 꿈이 (　　　　) 떠올랐다.

동음이의어

글을 읽고, 낱말 '연'이 어떤 의미로 쓰였는지 알맞은 뜻을 찾아 선으로 이으세요.

연을 날리다.

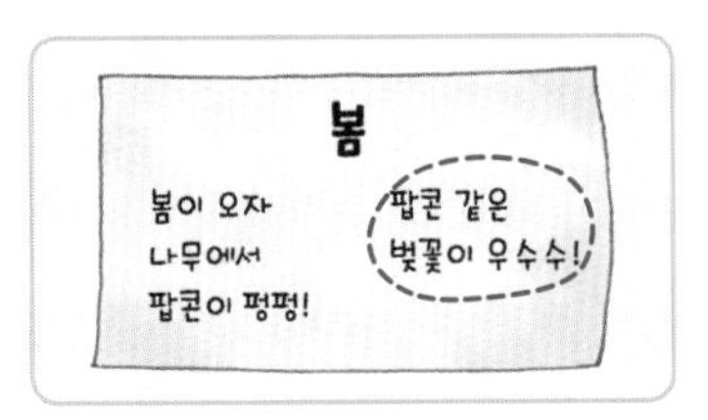

2**연**을 낭송하다.

연못에 **연**이 자라다.

연(蓮 연꽃 **연**)
연못이나 논밭에서 자라는 식물로, '연꽃'이라고도 함.

연(聯 연이을 **연**)
시에서 여러 행을 모아 묶은 한 덩어리.

연(鳶 연 **연**)
대나무 가지를 종이에 붙이고 실을 매서 공중에 높이 날리는 장난감.

한자어

'비(比)'와 '표(表)'의 뜻을 읽고, 알맞은 낱말을 보기 에서 찾아 빈칸에 쓰세요.

보기 비교하다 표정 비례 표지 비율 표시

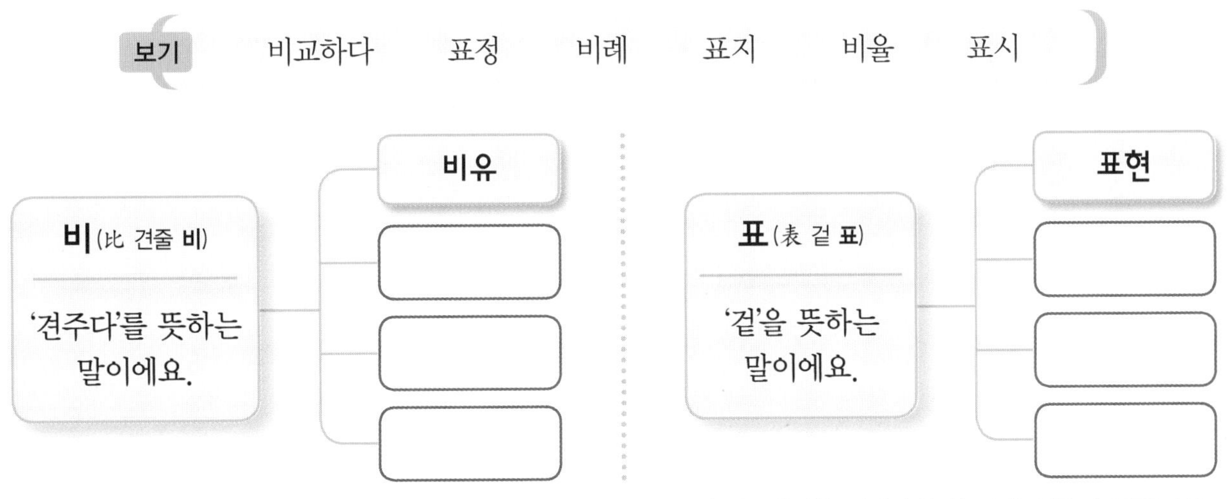

*'견주다'는 '둘 이상인 물건의 양 등이 어떤 차이가 있는지 알기 위해 서로 대어 보다'를, '비례'는 '한쪽의 수나 양이 늘어나는 만큼 다른 쪽의 수나 양도 일정하게 늘어남'을, '비율'은 '기준이 되는 양에 대한 비교하는 양의 크기'를 뜻해요.

스스로 평가

어휘 그물

2일 명절

'명절'과 관련 있는 어휘와 그 뜻을 소리 내어 읽고, 어휘 그물을 살펴보며 빈칸에 알맞은 낱말을 쓰세요.

*삼짇날: 음력 3월 3일. 봄을 알리는 명절.

쇠 □

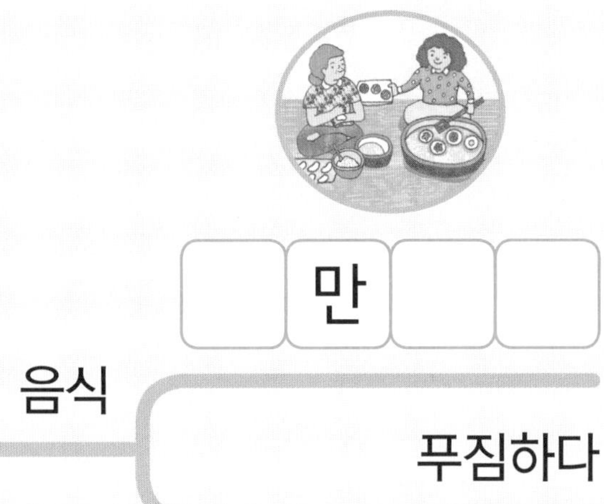

□ 만 □ □

음식

푸짐하다

귀향길

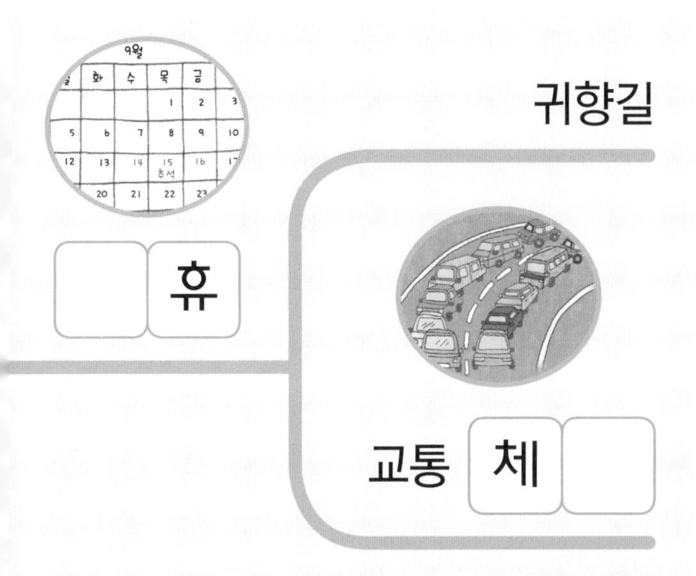

□ 휴

교통 체 □

활쏘기

삼짇날*

화 □

어휘 읽기

무치다
나물 등에 여러 가지 양념을 넣고 골고루 섞다.

부럼
음력 정월 대보름날 새벽에 깨물어 먹는 땅콩, 호두, 잣, 밤과 같은 견과류를 부르는 말.

쇠다
명절, 생일, 기념일 같은 날을 맞이하여 지내다.

연휴(連 잇닿을 **연** 休 쉴 **휴**)
쉬는 날이 이틀 이상 계속되는 날.

오곡(五 다섯 **오** 穀 곡식 **곡**)**밥**
찹쌀에 기장, 찰수수, 검정콩, 붉은팥을 섞어 지은 밥.

장만하다
필요한 것을 사거나 만들어 가지다.

체증(滯 막힐 **체** 症 증세 **증**)
오가는 차의 수가 많아 길이 막히는 상태.

화전(花 꽃 **화** 煎 달일 **전**)
찹쌀가루를 반죽하여 진달래나 개나리, 국화와 같이 먹을 수 있는 꽃잎을 붙이고 기름에 부친 떡.

휘영청하다
달빛 등이 몹시 밝다.

뜻을 읽고, 알맞은 낱말을 보기 에서 찾아 빈칸에 쓰세요.

보기 휘영청하다 화전 오곡밥 부럼

찹쌀에 기장, 찰수수, 검정콩, 붉은팥을 섞어 지은 밥. [ ]

음력 정월 대보름날 새벽에 깨물어 먹는 땅콩, 호두, 잣, 밤과 같은 견과류를 부르는 말. [ ]

달빛 등이 몹시 밝다. [ ]

찹쌀가루를 반죽하여 먹을 수 있는 꽃잎을 붙이고 기름에 부친 떡. [ ]

글을 읽고, 바른 문장이 되도록 알맞은 낱말을 찾아 ○ 하세요.

① 할머니는 손주에게 먹일 음식을 정성껏 **(태웠다, 장만했다)**.

② 이번 설은 온 가족이 함께 **(쇠었다, 감았다)**.

③ 휴가를 가려는 차들로 교통 **(규칙, 체증)**이 심하다.

④ 콩나물을 조물조물 **(빗어서, 무쳐서)** 먹었다.

⑤ 이번 **(연휴, 부럼)**에 가족과 해외여행을 가기로 했다.

연상 어휘

그림을 보고, 떠오르는 낱말을 보기 에서 찾아 빈칸에 쓰세요.

보기 여행 설레다

*'설레다'는 '기분이 좋아 마음이 들뜨고 두근거리다'라는 뜻이에요.

상위어

낱말을 읽고, 포함하는 말을 보기 에서 찾아 빈칸에 쓰세요.

보기 부럼 명절

유의어

낱말을 읽고, 비슷한말을 보기 에서 찾아 빈칸에 쓰세요.

보기 보내다 마련하다

스스로 평가

어휘 그물

환경 오염

'환경 오염'과 관련 있는 어휘와 그 뜻을 소리 내어 읽고, 어휘 그물을 살펴보며 빈칸에 알맞은 낱말을 쓰세요.

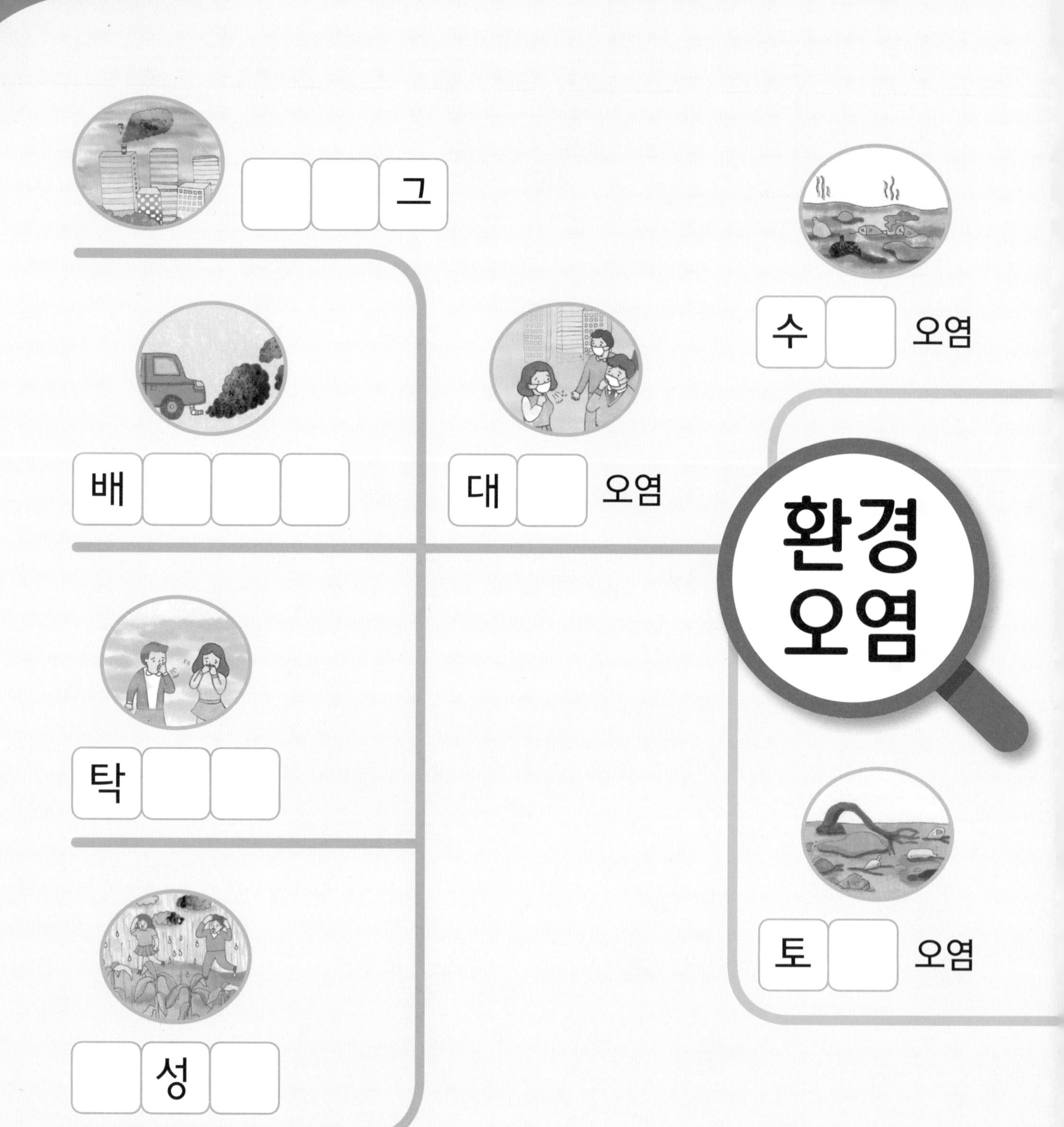

공장 폐

가축의 오

기름 유출*

생활 하수*

쓰레기 매립*

농약

*매립: 푹 파인 땅이나 강, 바다를 흙이나 돌로 채움.
*유출: 밖으로 흘러 나가거나 흘려 내보냄.
*하수: 집이나 공장, 병원 등에서 쓰고 버린 더러운 물.

어휘 읽기

대기(大 큰 **대** 氣 기운 **기**)
공기. 지구를 둘러싸고 있는 기체.

배기(排 밀칠 **배** 氣 기운 **기**)**가스**
필요하지 않아 밖으로 내보내는 가스.

산성(酸 실 **산** 性 성품 **성**)**비**
석탄이나 석유 같은 연료를 태울 때 나오는 산성 물질이 포함된 비.

수질(水 물 **수** 質 바탕 **질**)
물의 온도, 맑고 흐림, 빛깔 등에 따라 결정되는 물의 성질.

스모그
자동차의 배기가스나 공장에서 내뿜는 연기와 같은 오염 물질이 안개와 같이 된 상태.

오물(汚 더러울 **오** 物 물건 **물**)
쓰레기나 똥오줌과 같은 배설물로, 지저분하고 더러운 것.

탁(濁 흐릴 **탁**)**하다**
액체나 공기에 다른 물질이 섞여 흐리다.

토양(土 흙 **토** 壤 흙덩이 **양**)
필요한 영양을 공급하여 식물이 잘 자랄 수 있게 하는 흙.

폐수(廢 버릴 **폐** 水 물 **수**)
공장이나 광산에서 쓰고 난 뒤에 버리는 더러운 물.

3일 어휘 학습

낱말을 읽고, 알맞은 뜻을 찾아 선으로 이으세요.

배기가스	필요하지 않아 밖으로 내보내는 가스.
스모그	공장이나 광산에서 쓰고 난 뒤에 버리는 더러운 물.
폐수	자동차의 배기가스나 공장에서 내뿜는 연기와 같은 오염 물질이 안개와 같이 된 상태.
산성비	석탄이나 석유 같은 연료를 태울 때 나오는 산성 물질이 포함된 비.

글을 읽고, 바른 문장이 되도록 알맞은 낱말을 보기 에서 찾아 빈칸에 쓰세요.

보기 탁하다 수질 오물 토양 대기

① 여기는 (　　　　) 이 오염되어 있어서 수영하면 안 돼.

② (　　　　) 오염이 심해서 숨 쉬기가 힘들다.

③ 화장실 청소를 하지 않아 온갖 (　　　　) 이 가득했다.

④ 환기를 하지 않아 방 안의 공기가 무척 (　　　　).

⑤ 가정의 생활 폐수와 농약 사용 등이 (　　　　) 오염의 원인이 된다.

연상 어휘

그림을 보고, 떠오르는 낱말을 보기 에서 찾아 빈칸에 쓰세요.

보기 착용하다 탁하다

동음이의어

글을 읽고, 밑줄 친 낱말의 뜻을 보기 에서 찾아 알맞은 기호를 빈칸에 쓰세요.

보기
㉠ 대기(大 큰 **대** 氣 기운 **기**): 공기. 지구를 둘러싸고 있는 기체.
㉡ 대기(待 기다릴 **대** 機 틀 **기**): 때나 기회를 기다림.

① <u>대기</u> 오염 때문에 외출할 때는 마스크를 써야 한다. .... [ ]

② 가게에 손님이 너무 많아서 <u>대기</u>해야 한다. .... [ ]

한자어

'토(土)'와 '폐(廢)'의 뜻을 읽고, 알맞은 낱말을 보기 에서 찾아 빈칸에 쓰세요.

보기 폐품 국토 토지 폐지

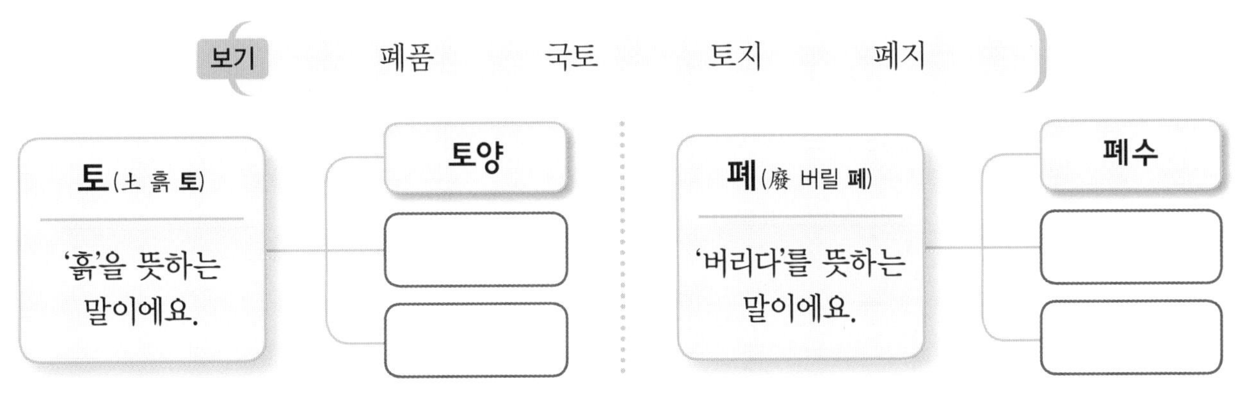

*'폐품'은 '못 쓰게 되어 버린 물건'을, '폐지'는 '쓰고 버린 종이'를 뜻해요.

스스로 평가

소설

'소설'과 관련 있는 어휘와 그 뜻을 소리 내어 읽고, 어휘 그물을 살펴보며 빈칸에 알맞은 낱말을 쓰세요.

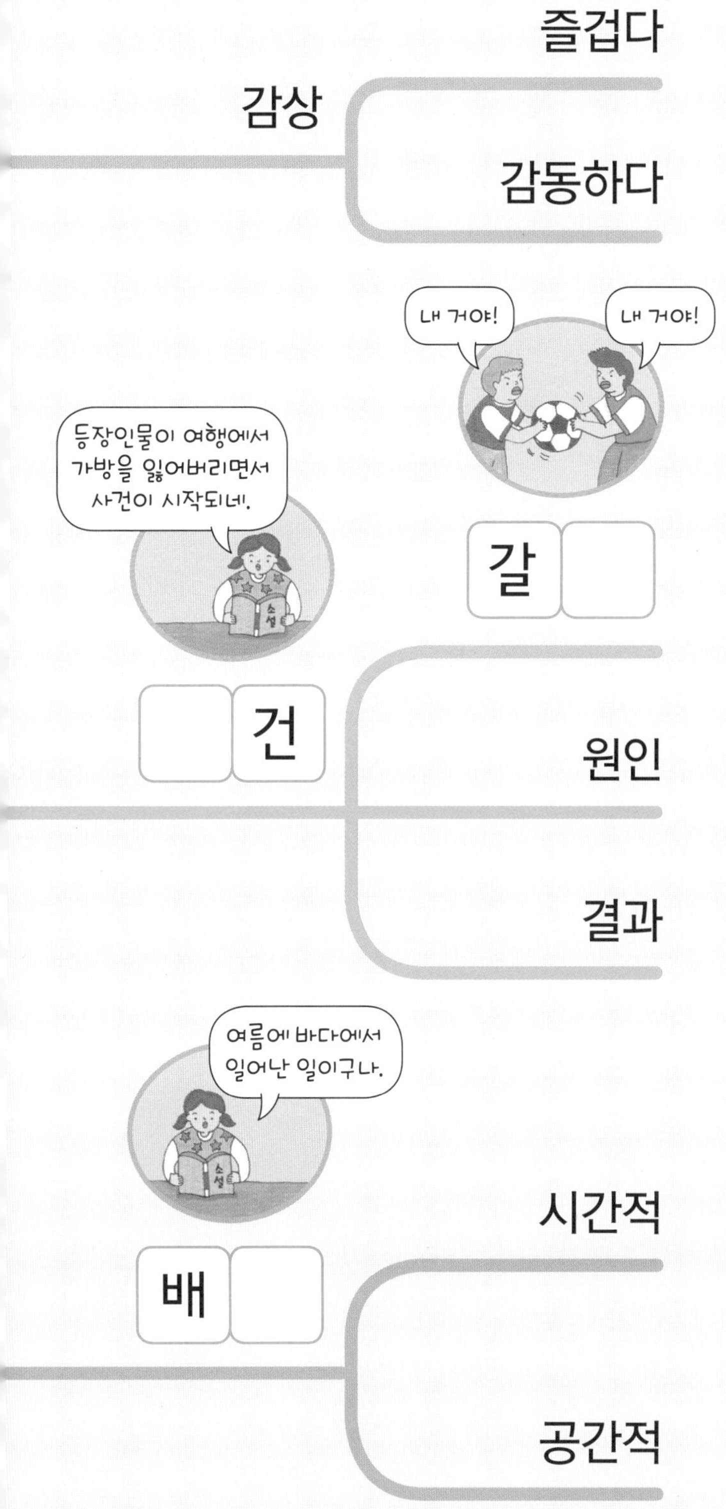

즐겁다
감상
감동하다

갈

건
원인
결과

시간적
배
공간적

*허구: 사실에 없는 일을 사실처럼 꾸며 만듦.

어휘 읽기

간사(奸 간사할 **간** 詐 속일 **사**)**하다**
나쁜 마음이 있어 거짓으로 다른 사람의 기분을 맞추는 태도가 있다.

갈등(葛 칡 **갈** 藤 등나무 **등**)
개인이나 집단 사이에서 서로의 처지나 생각이 달라 부딪침.

배경(背 등 **배** 景 볕 **경**)
사건이나 환경, 인물 등을 둘러싼 주위의 모습이나 상태. 소설에서는 등장인물이 활동하고 사건이 벌어지는 시간과 장소, 환경.

사건(事 일 **사** 件 물건 **건**)
사회적으로 문제를 일으키거나 관심을 받을 만한 뜻밖의 일. 소설에서는 주제를 나타내기 위해 벌어지는 여러 가지 일과 행동.

실감(實 열매 **실** 感 느낄 **감**)
실제로 겪은 듯한 느낌.

어질다
마음이 착하고 너그럽다.

용맹(勇 날랠 **용** 猛 사나울 **맹**)**하다**
용감하고 사납다.

인물(人 사람 **인** 物 물건 **물**)
일정한 상황에서 어떤 역할을 하는 사람.

청렴(淸 맑을 **청** 廉 청렴할 **렴**)**하다**
마음과 행동, 몸가짐이 바르고 욕심이 없다.

낱말을 읽고, 알맞은 뜻을 찾아 선으로 이으세요.

글을 읽고, 바른 문장이 되도록 알맞은 낱말을 찾아 ○ 하세요.

① 이 소설은 정말 생생해서 실제로 일어난 **(사건, 감동)** 같아.

② 소설 〈소나기〉의 **(인물, 배경)**은 어느 시골 마을이야.

③ 나는 남에게 잘 보이기 위해 **(간사하게, 깊게)** 구는 사람이 싫다.

④ 이 장면은 눈앞에 그려질 정도로 **(실감, 고장)** 났다.

⑤ 그는 높은 벼슬에 올랐지만 초가집에 살 정도로 **(청렴했다, 포악했다)**.

*'포악하다'는 '사람의 됨됨이가 사납고 나쁘다'는 뜻이에요.

유의어

날말을 읽고, 비슷한말을 보기 에서 찾아 빈칸에 쓰세요.

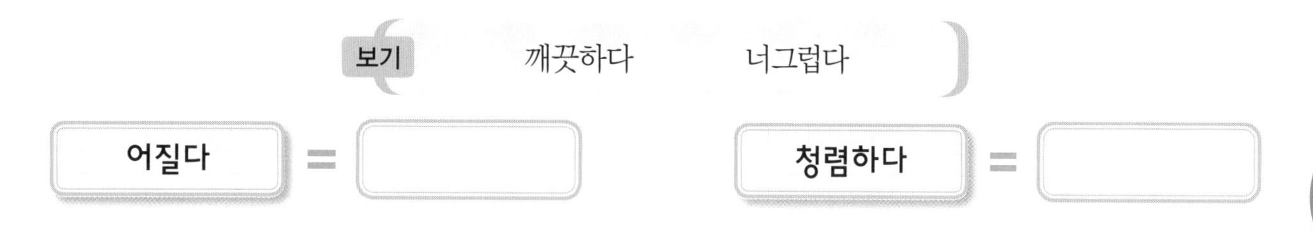

한자어

'감(感)'과 '사(事)'의 뜻을 읽고 알맞은 낱말을 보기 에서 찾아 빈칸에 쓰세요.

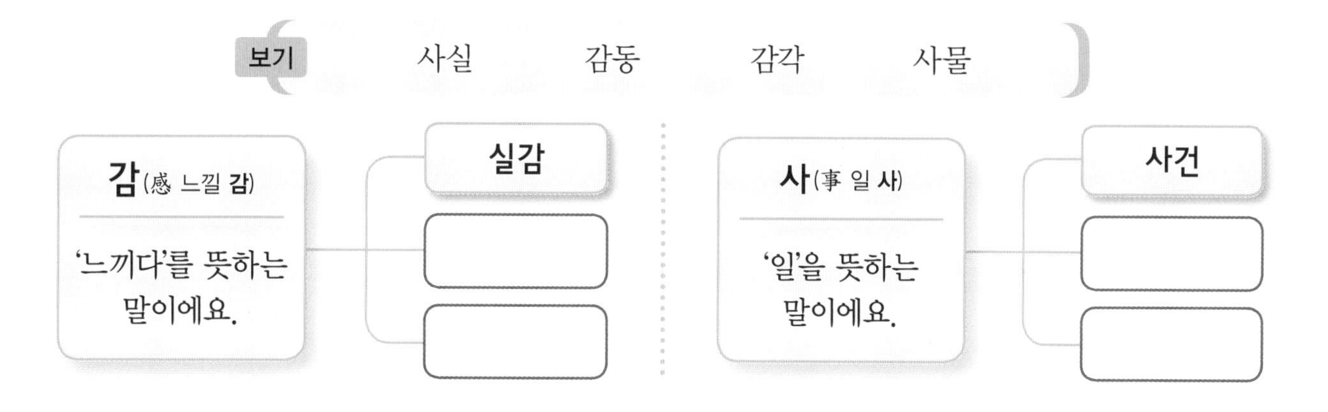

속담

만화를 보고, 상황에 맞는 글이 되도록 알맞은 낱말을 보기 에서 찾아 빈칸에 쓰세요.

▶속담 '얌전한 고양이 부뚜막에 먼저 올라간다'는 '겉으로는 얌전하고 아무것도 못할 것처럼 보이는 사람이 딴짓을 하거나 자기가 좋은 쪽으로만 행동하는 경우'에 쓰여요.

스스로 평가

국어 뜻을 읽고, 알맞은 낱말을 보기 에서 찾아 빈칸에 쓰세요.

보기 인물 휘영청하다 공감 암송

시와 같은 글을 보지 않은 채 입으로 외움. ( )

달빛 등이 몹시 밝다. ( )

일정한 상황에서 어떤 역할을 하는 사람. ( )

다른 사람의 감정, 의견, 주장에 대해 자기도 그렇다고 느낌. ( )

수학 보기 를 읽고, 바른 문장이 되도록 알맞은 낱말을 찾아 선으로 이으세요.

보기
- 덜다: 일정한 수량이나 정도에서 얼마를 떼어 줄이거나 적게 하다.
- 횟수: 돌아오는 차례의 수.

책을 읽는 ( )가 늘수록 아는 것이 많아졌다. • • 횟수

하나만 남도록 다섯에서 넷을 ( ). • • 덜어라

사회 낱말을 읽고, 알맞은 뜻을 찾아 선으로 이으세요.

- 폐수
- 대기
- 유조선
- 소수
- 한눈
- 지평선
- 얼레
- 직거래

공장이나 광산에서 쓰고 난 뒤에 버리는 더러운 물.

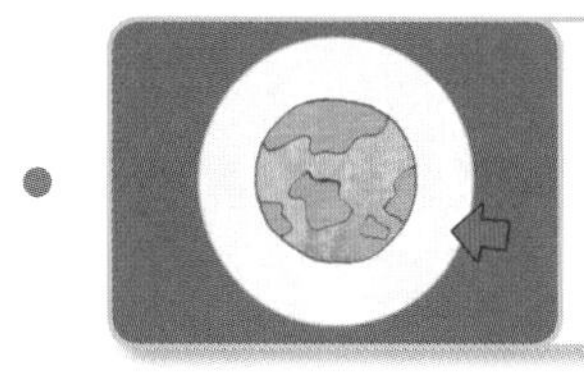

공기. 지구를 둘러싸고 있는 기체.

한꺼번에, 또는 단번에 볼 수 있는 범위.

석유를 실어 나르는 배.

물건을 살 사람과 물건을 팔 사람이 직접 사고팖.

편평한 땅의 끝과 하늘이 맞닿아 구분이 되는 선.

적은 수.

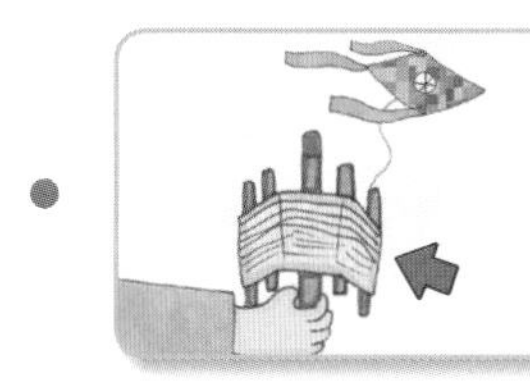

연을 매달아 날리는 연줄이나 낚싯줄을 감는 데 쓰는 기구.

과학 글을 읽고, 바른 문장이 되도록 알맞은 낱말을 찾아 ○ 하세요.

① (**화석 연료, 오염 물질**)는 먼 옛날 생물이 땅속에 묻혀 만들어진 것이다.

② 밤에 활동하는 야행성 동물은 보통 (**입맛, 시력**)이 좋다.

③ 천연기념물로 지정된 수많은 동물은 (**체증, 멸종**) 위기에 처해 있다.

④ 종이는 나무를 (**원료, 주제**)로 만들었다.

⑤ (**나물, 오곡밥**)은 다섯 가지 곡식을 섞어 지은 것이니 혼합물이라 할 수 있다.

⑥ 사람의 귀에 이상이 생기면 몸의 (**균형, 사건**)을 잡기 힘들다.

*'야행성'은 '낮에는 쉬거나 잠을 자고 밤에 활동하는 동물의 성질'을, '시력'은 '물건이나 사람 등의 모습을 보는 눈의 능력'을, '멸종'은 '생명을 가진 한 종류가 없어짐'을, '원료'는 '어떤 물건을 만드는 데 들어가는 재료'를, '혼합물'은 '여러 가지가 섞여 이루어진 것'을, '균형'은 '어느 한쪽으로 기울어지지 않음'을 뜻해요.

과학 낱말을 읽고, 알맞은 뜻을 찾아 선으로 이으세요.

예측 •	• 사물의 모양이나 상태 등을 주의하여 자세히 살펴봄.
관찰 •	• 미리 짐작해서 생각함.
변화 •	• 사물의 성질, 모양, 상태 등이 바뀌어 달라짐.

사자성어 '청렴결백'에 대한 글을 읽고, 물음에 답하세요.

2 주

청렴결백(淸廉潔白)

'청렴결백'은 '淸(맑을 청)', '廉(청렴할 렴)', '潔(깨끗할 결)', '白(흰 백)' 자를 써서 '맑고 청렴하며 깨끗하고 순수함'을 뜻해요. 성품이 고결*하고 욕심이 없는 사람에게 쓰는 말이지요. 청렴결백하기로는 조선 시대의 황희 정승을 빼놓을 수 없지요. 황희 정승은 조선 시대 높은 벼슬인 영의정의 자리에 있으면서도 솜이 들어 있는 옷 한 벌로 겨울을 지냈어요. 한번은 황희 정승의 부인이 겨울옷을 뜯어 빨았는데, 세종 대왕이 황희 정승을 급히 찾았어요. 황희 정승은 겨울옷 속에 들어 있던 솜만 얼기설기 이은 다음 그 위에 관복을 덧입고 궁궐로 들어갔어요. 세종 대왕은 황희 정승의 관복 아래로 나온 솜을 양털로 오해하고 물었어요. "평소 청렴결백한 그대가 어찌 양털을 입으셨소?" 당황한 황희 정승이 어렵게 대답했어요. "전하, 아뢰옵기 황송하오나 이것은 솜이옵니다. 한 벌뿐인 겨울옷을 빠는 바람에 할 수 없이 솜 위에 관복을 입었습니다." 이 말을 들은 세종 대왕은 황희 정승에게 겨울옷을 지을 비단을 하사*하려 했지만, 황희 정승은 굶주리는 백성들이 많은데 자신이 비단옷을 입을 수 없다며 끝내 그 비단을 받지 않았어요.

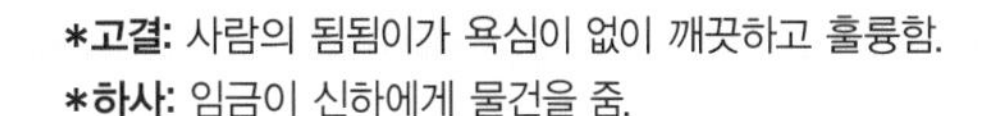

*고결: 사람의 됨됨이가 욕심이 없이 깨끗하고 훌륭함.
*하사: 임금이 신하에게 물건을 줌.

1. '맑고 청렴하며 깨끗하고 순수함'을 뜻하는 사자성어를 빈칸에 쓰세요.

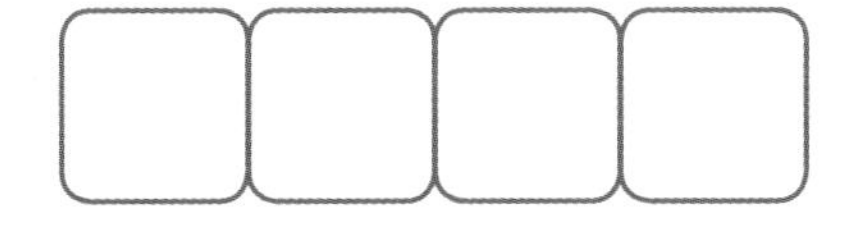

2. '청렴결백'의 뜻을 생각하며, '청렴결백'이 들어간 짧은 글짓기를 하세요.

스스로 평가

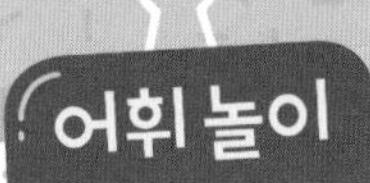

○× 빙고

글을 읽고, 내용이 맞으면 ○를, 내용이 틀리면 ×를 그 칸에 하세요.
가로와 세로로 ○가 3개 연결되는 빙고는 모두 몇 개인지 빈칸에 쓰세요.

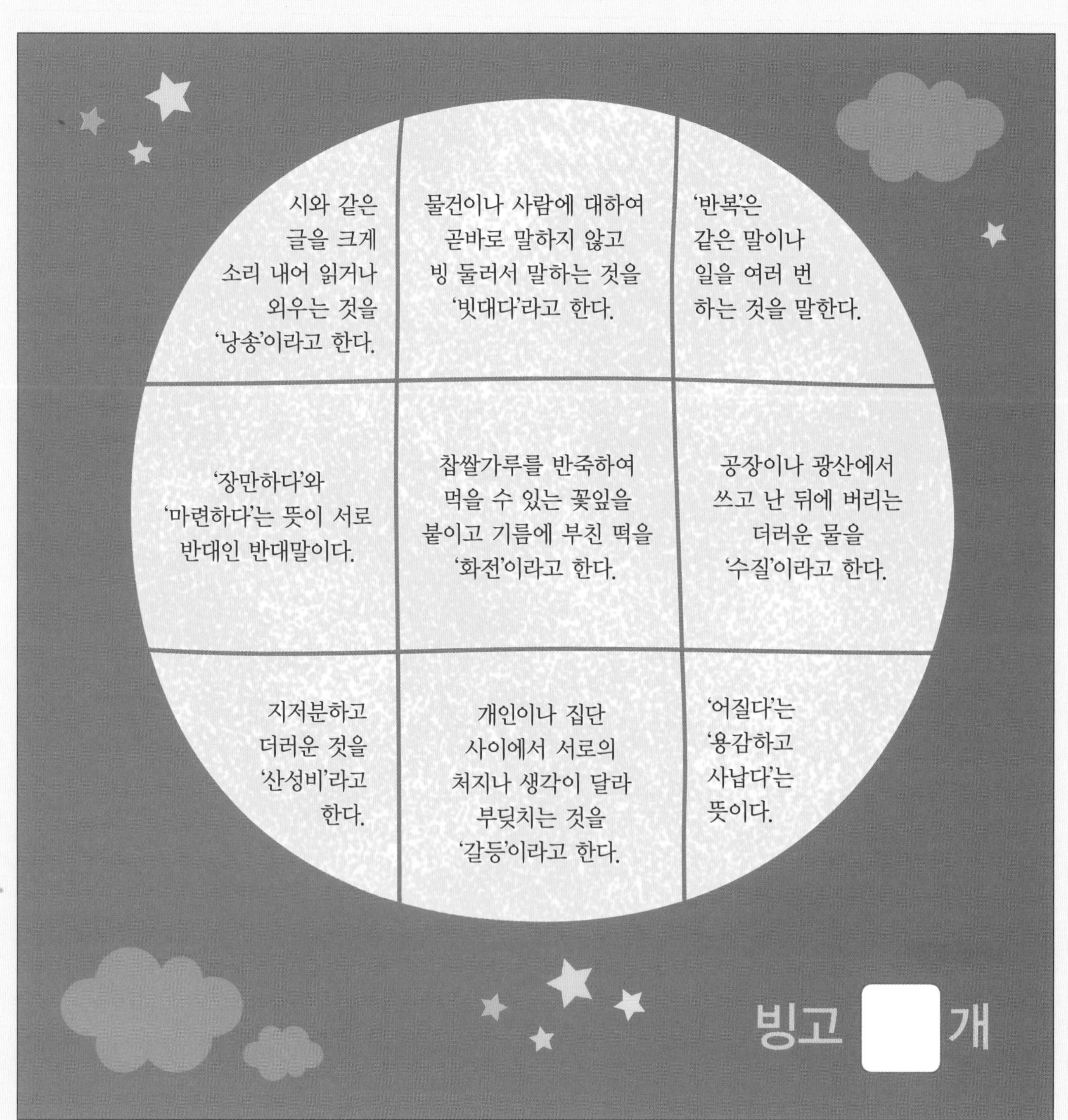

관심 있는 주제를 가운데 동그라미에 쓰고, 어휘들을 자유롭게 적으며 나만의 어휘 그물을 만들어 보세요.

내가 만드는 어휘 그물

3주

이번 주에 공부할 어휘들이에요.
어휘를 살펴보고,
알고 있는 어휘에 ✓를 하세요.
공부할 날짜를 쓰며
학습 계획도 세워 보세요.

1일 감각

공부할 날 월 일

- ☐ 고요하다
- ☐ 달짝지근하다
- ☐ 떫다
- ☐ 민감하다
- ☐ 소음
- ☐ 시각
- ☐ 악취
- ☐ 청각
- ☐ 퀴퀴하다

2일 경제

공부할 날 월 일

- ☐ 가계부
- ☐ 기업
- ☐ 생산
- ☐ 서비스
- ☐ 소득
- ☐ 소비
- ☐ 헤프다
- ☐ 현명
- ☐ 흥청망청

3일 희곡

공부할 날 월 일

- [ ] 관람하다
- [ ] 대본
- [ ] 대사
- [ ] 비극
- [ ] 상연하다
- [ ] 역할
- [ ] 지문
- [ ] 해설
- [ ] 희극

4일 우주

공부할 날 월 일

- [ ] 공전
- [ ] 드넓다
- [ ] 우주복
- [ ] 인공위성
- [ ] 자전
- [ ] 탐사하다
- [ ] 특수하다
- [ ] 항성
- [ ] 행성

5일 어휘 복습

공부할 날 월 일

아는 어휘 개 / 모르는 어휘 개

어휘 그물

1일

감각

'감각'과 관련 있는 어휘와 그 뜻을 소리 내어 읽고, 어휘 그물을 살펴보며 빈칸에 알맞은 낱말을 쓰세요.

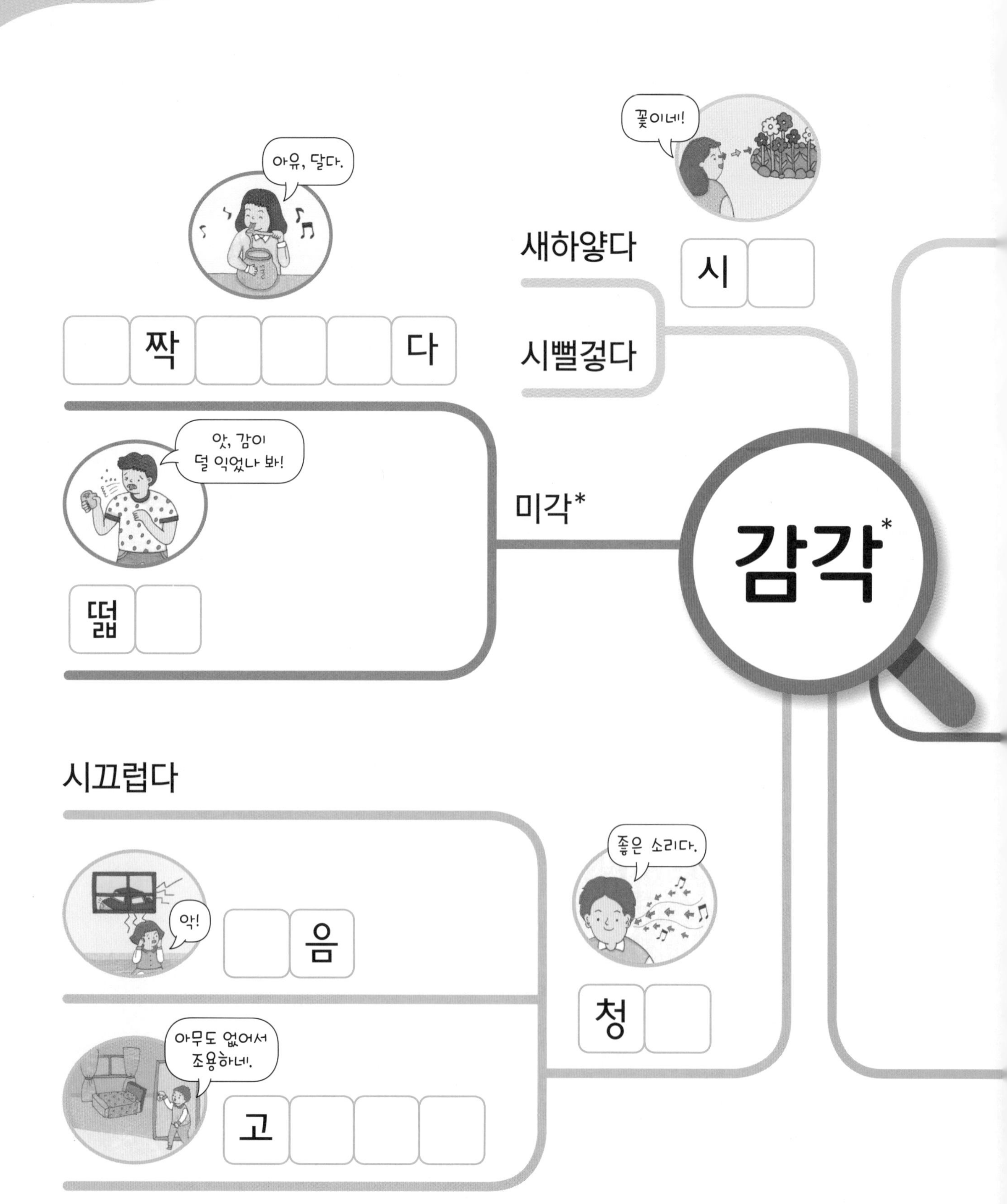

향기롭다

후각*

매끈하다

촉각*

까슬까슬하다

*감각: 눈, 코, 귀, 혀, 피부를 통해 어떤 반응을 느낌.
*미각: 혀로 단맛, 짠맛, 신맛, 쓴맛을 느끼는 혀의 감각.
*촉각: 물건이 피부에 닿아서 느껴지는 피부의 감각.
*후각: 코로 냄새를 맡는 코의 감각.

어휘 읽기

고요하다
분위기가 조용하고 잠잠하다.

달짝지근하다
약간 달콤한 맛이 있다.

떫다
덜 익은 감의 맛처럼 맛이 텁텁하다.

민감(敏 민첩할 **민** 感 느낄 **감**)**하다**
어떠한 자극에 빠르게 반응하거나 쉽게 영향을 받다.

소음(騷 떠들 **소** 音 소리 **음**)
불규칙하게 뒤섞여 기분을 나쁘게 하는 시끄러운 소리.

시각(視 볼 **시** 覺 깨달을 **각**)
눈으로 빛의 자극을 받아들이는 눈의 감각.

악취(惡 악할 **악** 臭 냄새 **취**)
기분을 나쁘게 하는 냄새.

청각(聽 들을 **청** 覺 깨달을 **각**)
귀로 소리를 느끼는 귀의 감각.

퀴퀴하다
상하고 찌들어 똥이나 방귀 냄새와 같이 속이 거슬릴 정도로 구리다.

1일 어휘 학습

낱말을 읽고, 알맞은 뜻을 찾아 선으로 이으세요.

청각	귀로 소리를 느끼는 귀의 감각.
떫다	어떠한 자극에 빠르게 반응하거나 쉽게 영향을 받는다.
고요하다	덜 익은 감의 맛처럼 텁텁하다.
민감하다	분위기가 조용하고 잠잠하다.

글을 읽고, 바른 문장이 되도록 알맞은 낱말을 보기 에서 찾아 빈칸에 쓰세요.

보기 퀴퀴하다 악취 소음 달짝지근한 시각

① 대도시의 시끄러운 [　　　　]은 심각한 공해이다.

② 쌀밥을 오래 씹으면 [　　　　] 맛이 우러난다.

③ 쓰레기가 썩었는지 냄새가 [　　　　].

④ 하수구에서 코를 찌르는 듯한 [　　　　]가 올라왔다.

⑤ 점자는 [　　　　] 장애인을 위한 문자이다.

*'점자'는 '시각 장애인이 손가락으로 더듬어 읽도록 만든 문자'를 뜻해요.

동음이의어

글을 읽고, 낱말 '시각'이 어떤 의미로 쓰였는지 알맞은 뜻을 찾아 선으로 이으세요.

한자어

'음(音)'과 '각(覺)'의 뜻을 읽고, 알맞은 낱말을 보기 에서 찾아 빈칸에 쓰세요.

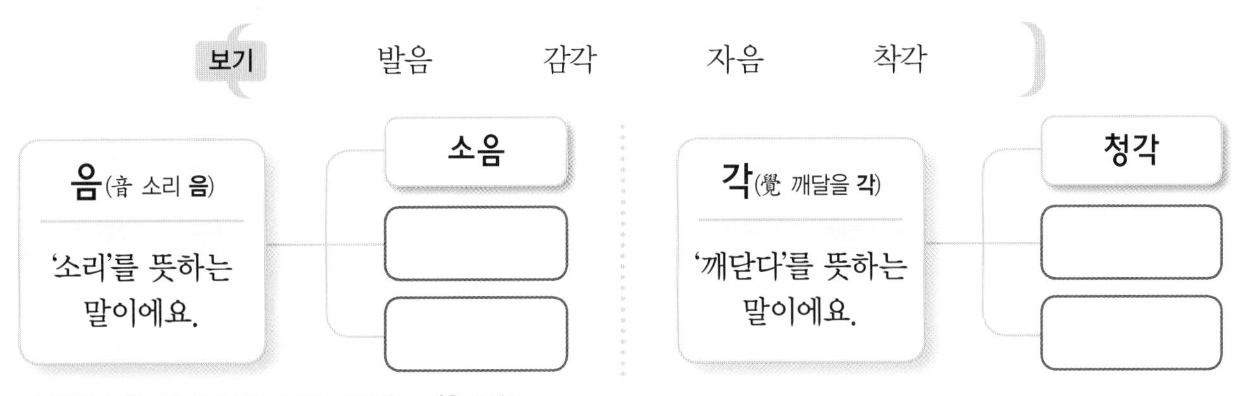

*'착각'은 '어떤 것을 다른 것으로 잘못 생각하는 것'을 뜻해요.

속담

만화를 보고, 상황에 맞는 글이 되도록 알맞은 낱말을 보기 에서 찾아 빈칸에 쓰세요.

▶속담 '입에 쓴 약이 병에는 좋다'는 '다른 사람의 충고나 꾸지람이 당장은 듣기 싫지만 잘 받아들이면 나에게 도움이 됨'을 뜻해요.

스스로 평가

어휘 그물

경제

'경제'와 관련 있는 어휘와 그 뜻을 소리 내어 읽고, 어휘 그물을 살펴보며 빈칸에 알맞은 낱말을 쓰세요.

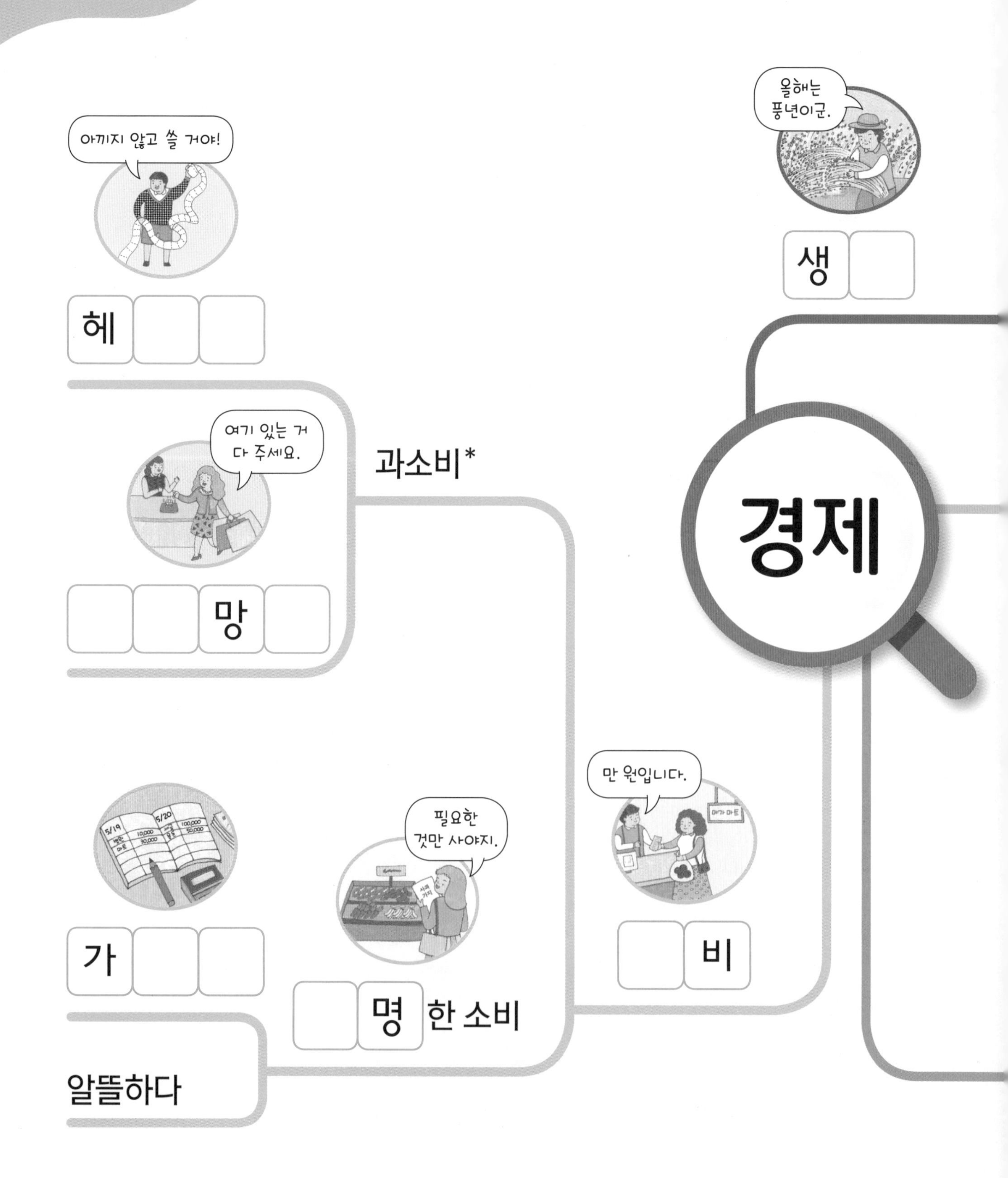

*과소비: 돈이나 물건 등을 많이 써서 없앰.

📖 공부한 날　　월　　일

농사

예쁘게 해 드릴게요.

| 비 |

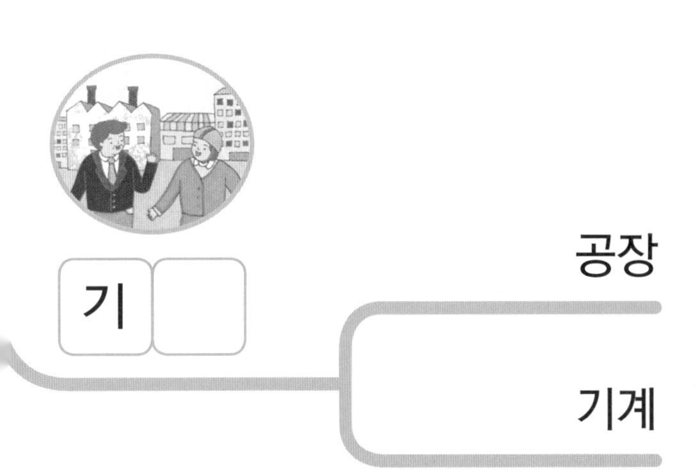

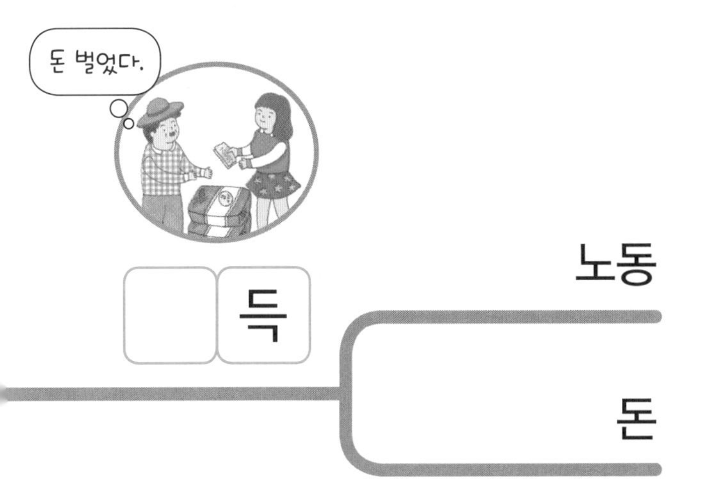

어휘 읽기

가계부(家 집 **가** 計 셀 **계** 簿 문서 **부**)
집안 살림에 들어온 돈과 나간 돈을 계산해서 적어 두는 책.

기업(企 꾀할 **기** 業 업 **업**)
이익을 얻기 위하여 물건 등을 생산하고 파는 단체.

생산(生 날 **생** 産 낳을 **산**)
사람이 생활하는 데 필요한 여러 종류의 것을 만듦.

서비스
물건과 같이 모양은 없지만 사람의 마음을 기쁘고 행복하게 해 주는 활동.

소득(所 바 **소** 得 얻을 **득**)
생산이나 서비스와 같이 일을 한 대가로 얻은 돈.

소비(消 사라질 **소** 費 쓸 **비**)
생활에 필요한 물건이나 서비스를 얻기 위해 돈을 씀.

헤프다
물건이나 돈을 아끼지 않고 함부로 쓰다.

현명(賢 어질 **현** 明 밝을 **명**)
어질고 슬기로워 일을 올바르게 해결함.

흥청망청
돈이나 물건을 마구 쓰는 모습.

뜻을 읽고, 알맞은 낱말을 보기 에서 찾아 빈칸에 쓰세요.

보기 생산 서비스 소비 가계부

사람이 생활하는 데 필요한 여러 종류의 것을 만듦.

생활에 필요한 물건이나 서비스를 얻기 위해 돈을 씀.

집안 살림에 들어온 돈과 나간 돈을 계산해서 적어 두는 책.

물건과 같이 모양은 없지만 사람의 마음을 기쁘고 행복하게 해 주는 활동.

글을 읽고, 바른 문장이 되도록 알맞은 낱말을 찾아 ○ 하세요.

① 우리나라에는 다양한 물건을 생산하는 (**기업**, **돈**)이 많다.

② 힘들게 번 돈을 (**알뜰살뜰**, **흥청망청**) 쓰면 안 된다.

③ 나는 일을 열심히 해서 (**판매**, **소득**)이 많았다.

④ 나의 어머니는 항상 (**현명한**, **과소비**) 결정을 하셨다.

⑤ 쯧쯧, 용돈을 저렇게 (**아껴**, **헤프게**) 쓰니 남는 게 없지.

유의어 · 반의어

낱말을 읽고, 낱말의 뜻이 서로 비슷하면 '='를, 반대이면 '↔'를 ◯ 안에 쓰세요.

연상 어휘

그림을 보고, 떠오르는 낱말을 보기 에서 찾아 빈칸에 쓰세요.

보기 아끼다 자린고비

*'자린고비'는 '어떤 것이든 지나치게 아끼는 사람을 낮추어 부르는 말'이에요.

관용구

만화를 보고, 상황에 맞는 관용구를 보기 에서 찾아 빈칸에 쓰세요.

보기 물 쓰듯 물 위의 기름

→ ☐ 쓴다.

▶관용구 '물 쓰듯'은 '물건을 아끼지 않고 막 쓰거나, 돈을 흥청망청 낭비하다'를, '물 위의 기름'은 '서로 어울리지 못하는 사이'를 뜻해요.

스스로 평가

어휘 그물

3일

희곡

'희곡'과 관련 있는 어휘와 그 뜻을 소리 내어 읽고, 어휘 그물을 살펴보며 빈칸에 알맞은 낱말을 쓰세요.

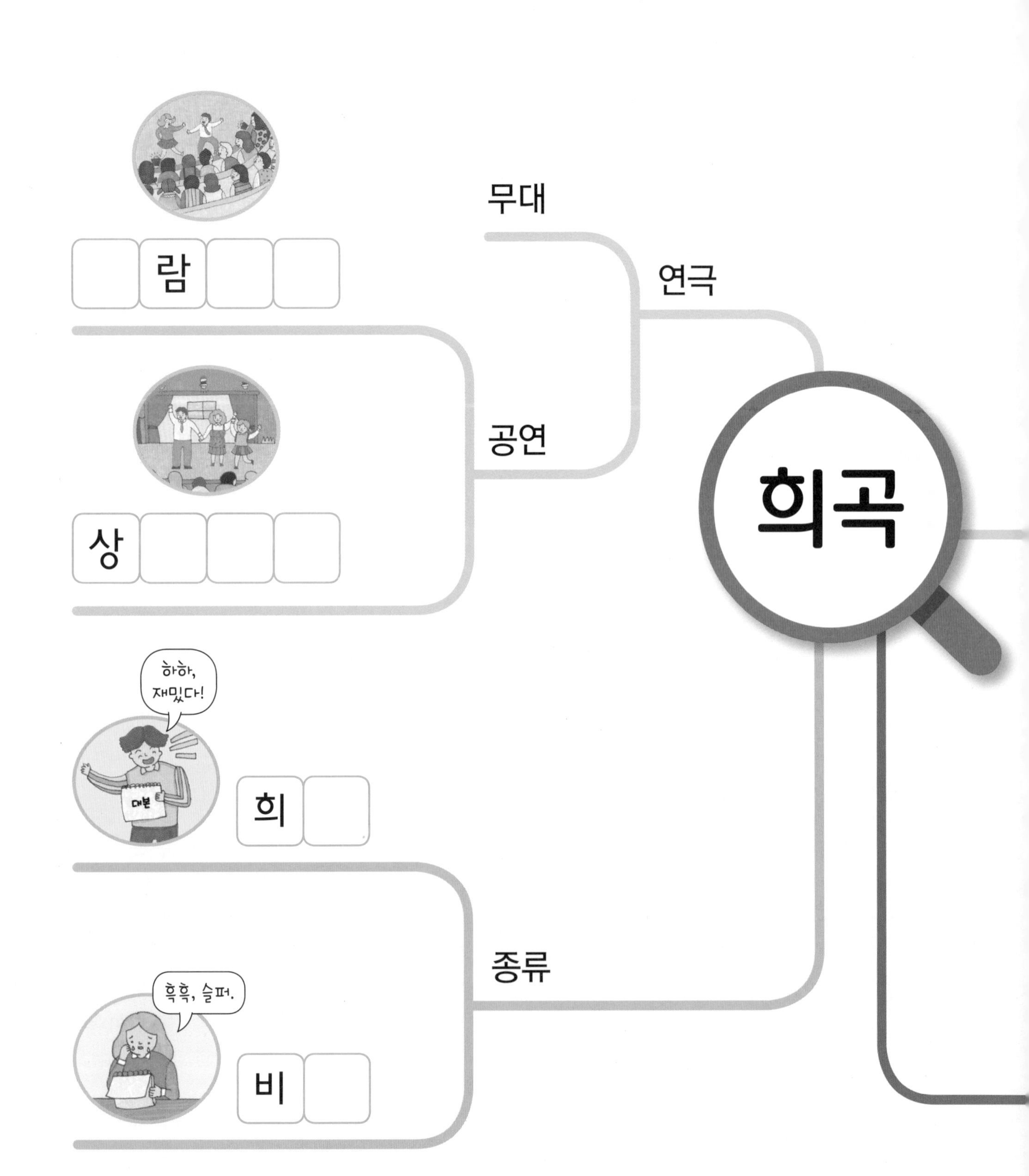

어휘 읽기

관람(觀 볼 **관** 覽 볼 **람**)**하다**
연극, 영화, 운동 경기, 미술 작품 등을 구경하다.

대본(臺 대 **대** 本 근본 **본**)
연극이나 영화를 만드는 데 기본이 되는 글.

대사(臺 대 **대** 詞 말 **사**)
연극이나 영화에서 배우가 하는 말.

비극(悲 슬플 **비** 劇 연극 **극**)
슬픔을 글감으로 하여 내용이 불행하게 끝나는 연극.

상연(上 윗 **상** 演 펼 **연**)**하다**
무대에서 연극 등을 관객에게 보이다.

역할(役 부릴 **역** 割 벨 **할**)
연극이나 영화에서 배우가 맡아서 하는 역.

지문(地 땅 **지** 文 글월 **문**)
희곡에서 인물의 움직임, 표정, 마음 상태, 말투 등을 나타낸 글. 해설과 대사를 뺀 나머지 부분.

해설(解 풀 **해** 說 말씀 **설**)
문제나 사건의 내용을 알기 쉽게 풀어 설명한 것. 연극에서 인물이나 때와 장소 등을 설명함.

희극(喜 기쁠 **희** 劇 연극 **극**)
웃음을 글감으로 하여 내용이 즐겁고 경쾌하게 끝나는 연극.

✎ 낱말을 읽고, 알맞은 뜻을 찾아 선으로 이으세요.

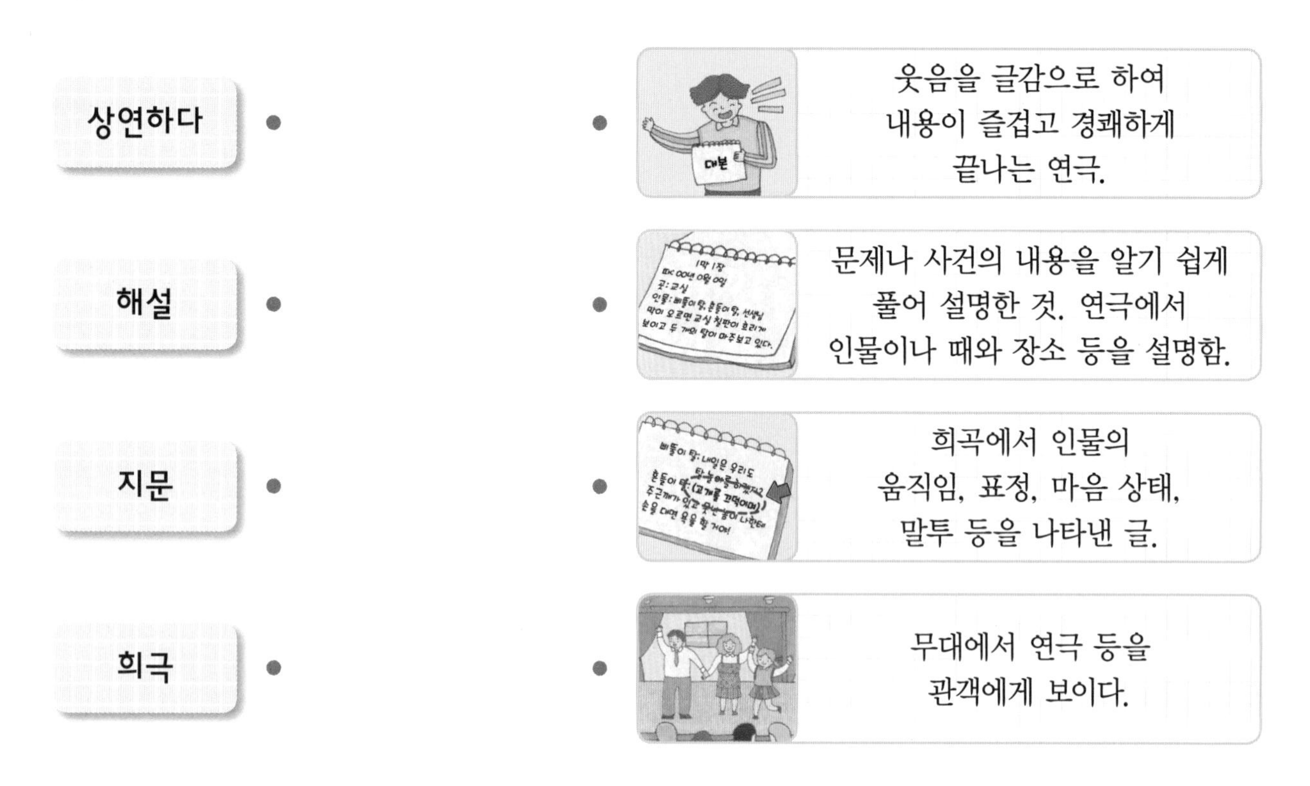

상연하다 • • 웃음을 글감으로 하여 내용이 즐겁고 경쾌하게 끝나는 연극.

해설 • • 문제나 사건의 내용을 알기 쉽게 풀어 설명한 것. 연극에서 인물이나 때와 장소 등을 설명함.

지문 • • 희곡에서 인물의 움직임, 표정, 마음 상태, 말투 등을 나타낸 글.

희극 • • 무대에서 연극 등을 관객에게 보이다.

✎ 글을 읽고, 바른 문장이 되도록 알맞은 낱말을 보기 에서 찾아 빈칸에 쓰세요.

보기 | 비극 | 대본 | 역할 | 관람했다 | 대사

① 오빠는 연극에서 멋진 가수 [　　　] 을 맡았다.

② [　　　] 적인 연극을 보았더니 하루 종일 기분이 우울했다.

③ 내가 맡은 역할은 [　　　] 가 많아서 외우느라 고생을 했다.

④ 배우들은 대사를 외우기 위해서 [　　　] 을 여러 번 읽었다.

⑤ 지난 주말에 가족과 함께 영화를 [　　　].

하위어

낱말을 읽고, 포함되는 말을 보기 에서 찾아 빈칸에 쓰세요.

동음이의어

글을 읽고, 낱말 '지문'이 어떤 의미로 쓰였는지 알맞은 뜻을 찾아 선으로 이으세요.

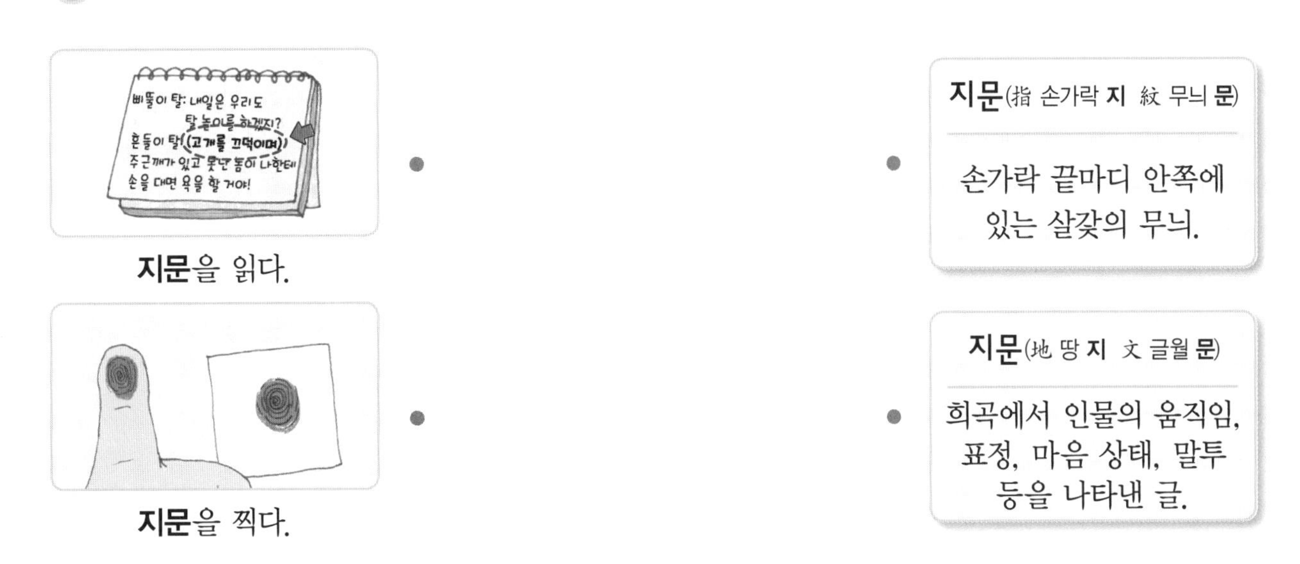

한자어

'문(文)'과 '상(上)'의 뜻을 읽고, 알맞은 낱말을 보기 에서 찾아 빈칸에 쓰세요.

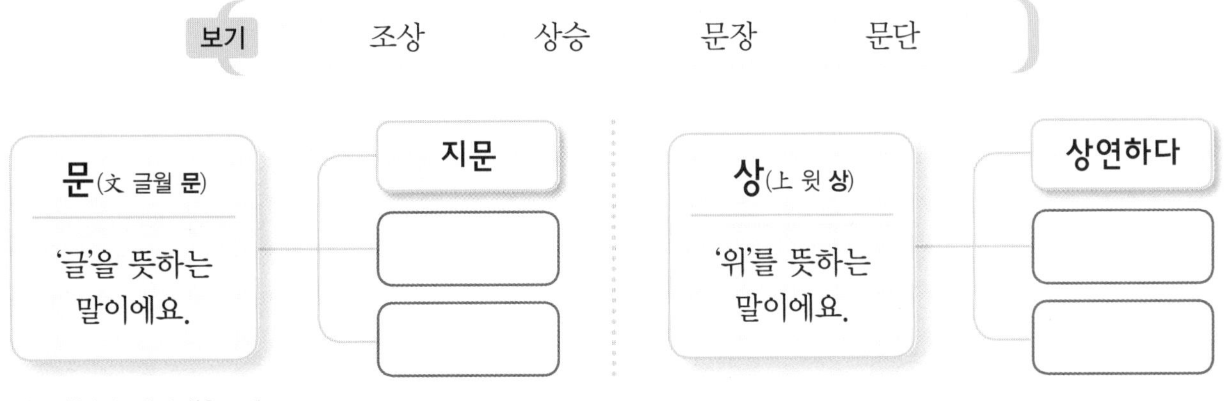

*'상승'은 '위로 올라감'을 뜻해요.

스스로 평가

어휘 그물

우주

'우주'와 관련 있는 어휘와 그 뜻을 소리 내어 읽고, 어휘 그물을 살펴보며 빈칸에 알맞은 낱말을 쓰세요.

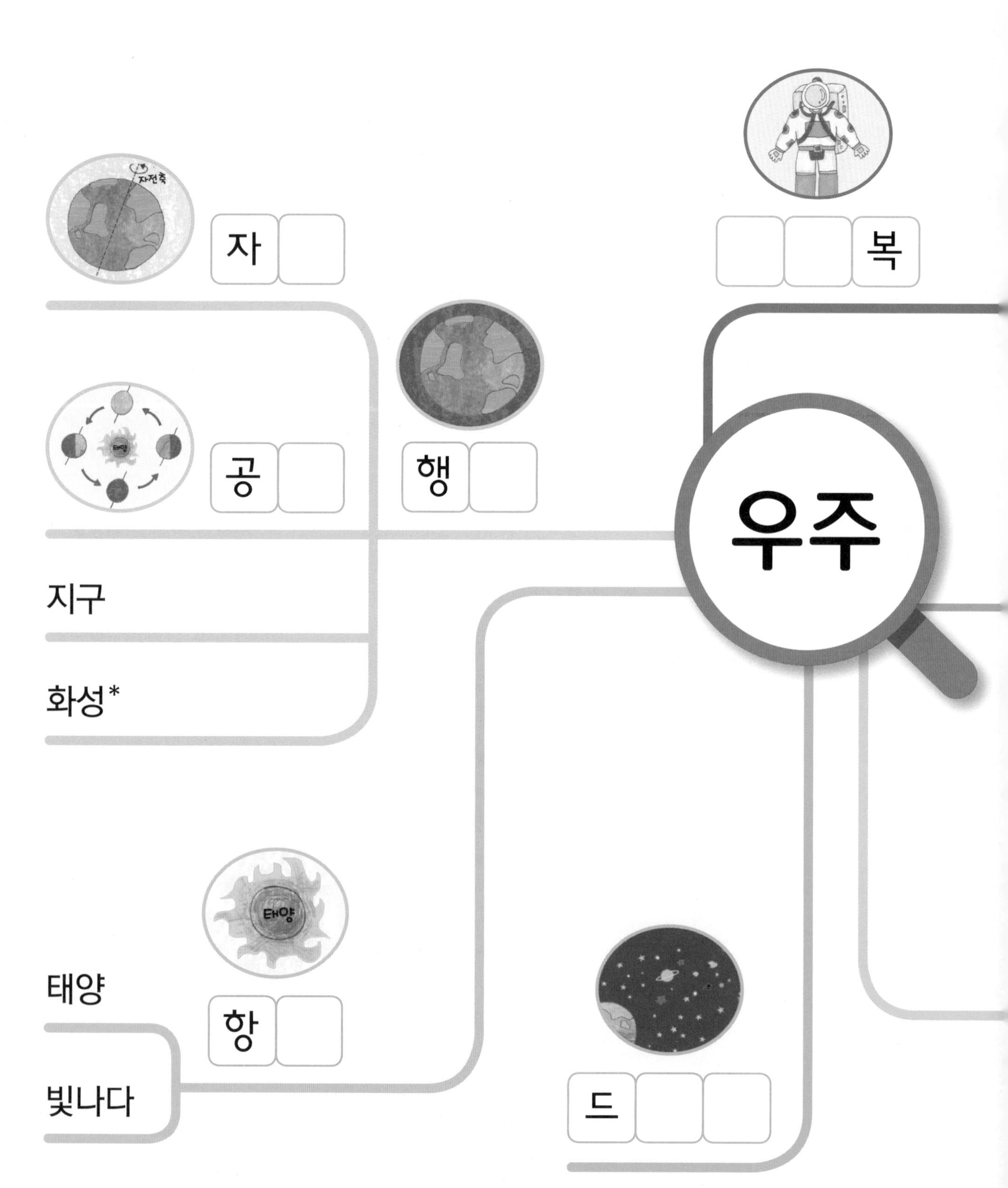

보호하다

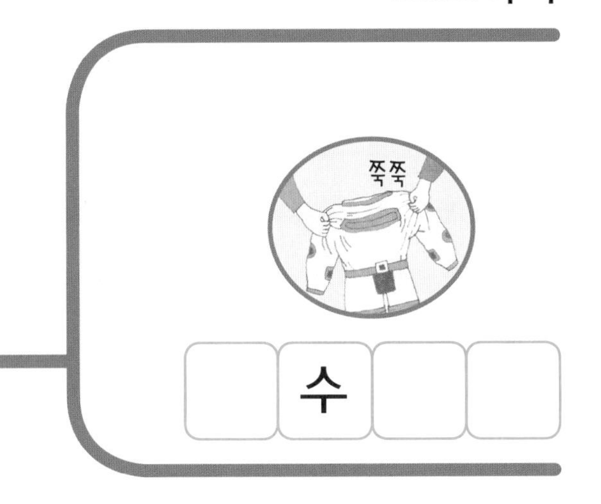

*위성: 행성이 끌어당기는 힘에 의해 행성 주위를 도는 우주의 물체.
*화성: 태양에서 넷째로 가까운 행성.

어휘 읽기

공전(公 공평할 **공** 轉 구를 **전**)
우주에 있는 어떤 물체가 우주의 다른 물체 주위를 원 모양으로 반복해서 도는 운동.

드넓다
활짝 트이고 아주 넓다.

우주복(宇 집 **우** 宙 집 **주** 服 옷 **복**)
우주에 갈 때 우주에서 몸을 보호하기 위해 우주인이 입는 옷.

인공위성
(人 사람 **인** 工 장인 **공** 衛 지킬 **위** 星 별 **성**)
지구와 같은 행성의 둘레를 돌 수 있도록 우주로 쏘아 올린 장치.

자전(自 스스로 **자** 轉 구를 **전**)
우주에 있는 물체가 고정된 축을 중심으로 스스로 도는 것.

탐사(探 찾을 **탐** 査 조사할 **사**)**하다**
알려지지 않은 사물이나 사실 등을 샅샅이 조사하다.

특수(特 특별할 **특** 殊 다를 **수**)**하다**
특별히 다르다.

항성(恒 항상 **항** 星 별 **성**)
움직이지 않고 늘 같은 자리에 있는 것처럼 보이는 별로, 스스로 빛을 냄.

행성(行 다닐 **행** 星 별 **성**)
태양이 끌어당기는 힘에 의해 태양의 둘레를 도는 별로, 스스로 빛을 내지 못함.

4일 어휘 학습

뜻을 읽고, 알맞은 낱말을 보기 에서 찾아 빈칸에 쓰세요.

보기 인공위성 항성 드넓다 우주복 공전

우주에 갈 때 우주에서 몸을 보호하기 위해 우주인이 입는 옷. [ ]

활짝 트이고 아주 넓다. [ ]

움직이지 않고 늘 같은 자리에 있는 것처럼 보이는 별로, 스스로 빛을 냄. [ ]

우주에 있는 어떤 물체가 우주의 다른 물체 주위를 원 모양으로 반복해서 도는 운동. [ ]

지구와 같은 행성의 둘레를 돌 수 있도록 우주로 쏘아 올린 장치. [ ]

글을 읽고, 바른 문장이 되도록 알맞은 낱말을 찾아 ○ 하세요.

① 지구와 화성은 태양의 둘레를 도는 **(행성, 달)**이다.

② 과학자는 여러 장비를 이용해 깊은 바닷속을 **(반복했다, 탐사했다)**.

③ 지구가 **(발사, 자전)**하기 때문에 낮과 밤이 생긴다.

④ 이 창문은 **(특수하게, 평범하게)** 만들어져서 절대 깨지지 않는다.

상위어 · 하위어

낱말을 읽고, 알맞은 낱말을 보기 에서 찾아 빈칸에 쓰세요.

*'천체'는 '우주에 존재하는 모든 물체'를, '목성'은 '태양에서 다섯째로 가까운 행성'이에요.

한자어 · 접사

'특(特)'과 '드'의 뜻을 읽고, 알맞은 낱말을 보기 에서 찾아 빈칸에 쓰세요.

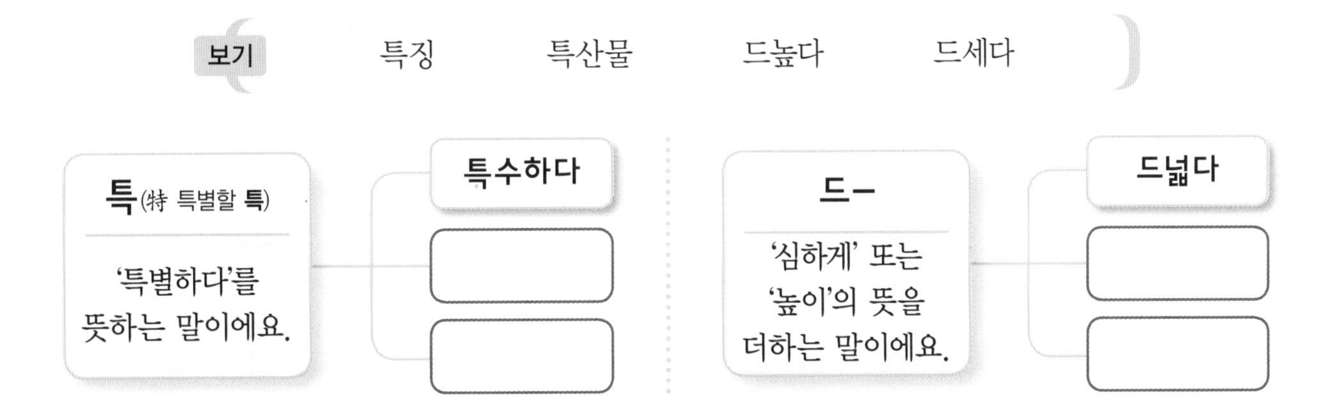

속담 · 관용구

글을 읽고, 알맞은 낱말을 보기 에서 찾아 빈칸에 쓰세요.

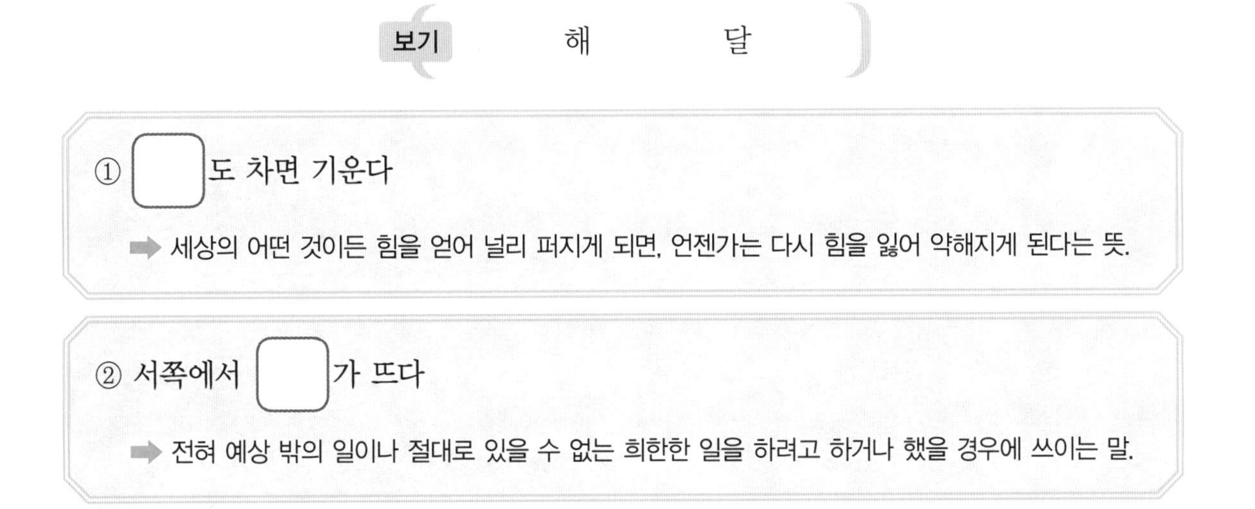

스스로 평가

국어 글을 읽고, 바른 문장이 되도록 알맞은 낱말을 **보기** 에서 찾아 빈칸에 쓰세요.

보기 알랑거리는 뾰로통해 퀴퀴한 대사 곤두섰다

① 나는 연극의 주인공을 맡아서 하루 종일 [   ]를 외웠다.

② 누군가의 마음에 들기 위해 [   ] 것은 힘들다.

③ 장마철에는 [   ] 냄새가 자주 난다.

④ 친구는 내게 섭섭했는지 [   ] 있다.

⑤ 고양이가 화가 났는지 털이 [   ].

*'알랑거리다'는 '다른 사람의 마음을 얻기 위해 아부하는 말이나 행동을 하다'를, '뾰로통하다'는 '마음에 들지 않아 얼굴이 화가 난 것처럼 보이다'를, '곤두서다'는 '털 등이 꼿꼿하게 서다'라는 뜻이에요.

수학 낱말을 읽고, 알맞은 뜻을 찾아 선으로 이으세요.

- 자료 •
- 표 •
- 그래프 •

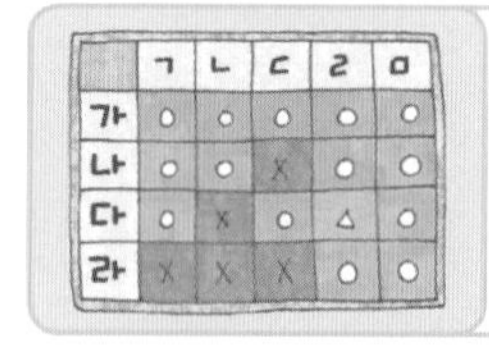

	ㄱ	ㄴ	ㄷ	ㄹ	ㅁ
가	○	○	○	○	○
나	○	○	X	○	○
다	○	X	○	△	○
라	X	X	X	○	○

• 어떤 내용을 일정한 형식과 순서에 맞게 정리해 보기 쉽게 나타낸 것.

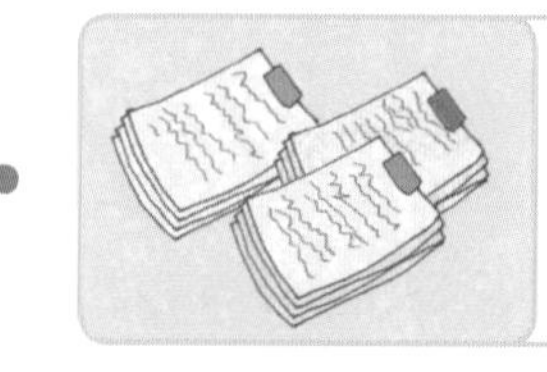

• 연구나 조사 등의 기본 바탕이 되는 재료.

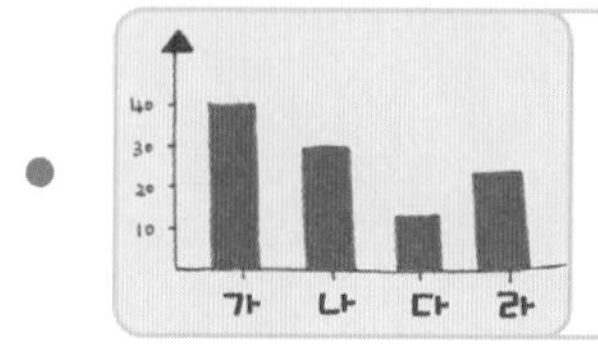

• 어떤 자료의 내용 변화를 한눈에 볼 수 있도록 나타낸 직선이나 곡선.

사회 뜻을 읽고, 알맞은 낱말을 보기 에서 찾아 빈칸에 쓰세요.

보기 주민 소득 소비 기업 저축 보상 생산

이익을 얻기 위하여 물건 등을 생산하고 파는 단체.

사람이 생활하는 데 필요한 여러 종류의 것을 만듦.

생활에 필요한 물건이나 서비스를 얻기 위해 돈을 씀.

생산이나 서비스와 같이 일을 한 대가로 얻은 돈.

가지고 있는 돈의 일부를 쓰지 않고 모아 둠.

남에게 피해를 준 것을 갚음.

일정한 지역에 함께 살고 있는 사람.

5일 어휘 복습

과학 낱말을 읽고, 알맞은 뜻을 찾아 선으로 이으세요.

천체	물을 모아 두기 위하여 하천이나 골짜기를 막아 만든 큰 못.
행성	우주에 존재하는 모든 물체.
저수지	태양이 끌어당기는 힘에 의해 태양의 둘레를 도는 별로, 스스로 빛을 내지 못함.

과학 글을 읽고, 바른 문장이 되도록 알맞은 낱말을 보기 에서 찾아 빈칸에 쓰세요.

보기 흡수한다 쌍안경 저울 통과하지 가열 조절했다

① 그는 어릴 때부터 [ ] 으로 먼 곳을 보는 걸 좋아했다.

② 물을 [ ] 하면 수증기가 되어 공기 중으로 날아간다.

③ 물건의 무게를 잴 때는 [ ] 을 이용한다.

④ 그림자는 빛이 물체를 [ ] 못해 생긴다.

⑤ 식물은 뿌리로 흙 속의 영양분을 [ ].

⑥ 그는 리모컨으로 에어컨의 온도를 [ ].

*'흡수하다'는 '빨아들이다'를, '쌍안경'은 '가깝거나 멀리 있는 것을 모두 크게 볼 수 있는 기계'를, '저울'은 '물체의 무게를 재는 기구'를, '통과하다'는 '막혀 있는 것을 뚫고 지나가다'를, '가열'은 '어떤 물질에 열을 가함'을, '조절하다'는 '한쪽으로 치우치거나 기울어지지 않게 맞추어 나가다'는 뜻이에요.

사자성어 '청출어람'에 대한 글을 읽고, 물음에 답하세요.

청출어람(靑出於藍)

'청출어람'은 '靑(푸를 청)', '出(날 출)', '於(어조사 어)', '藍(쪽 람)'자를 써서 '푸른색을 쪽(푸른빛으로 물을 들일 때에 쓰는 식물)에서 뽑아냈는데, 쪽보다 더 푸르다'라는 뜻으로 제자나 후배가 스승이나 선배보다 나을 때 쓰는 말이에요. 이 말을 잘 보여 주는 예가 바로 북조*의 '공번과 이밀'이라는 사람의 이야기예요. 이밀은 어려서 '공번'을 스승으로 삼아 공부했지요. 그런데 이밀이 어찌나 영리하고 똑똑한지 공부를 시작하고 몇 년이 지나자 스승인 공번보다 뛰어나게 되었어요. 그러자 공번은 이밀에게 자신이 더 이상 가르칠 것이 없다며, 오히려 이밀에게 자신의 스승이 되어 달라고 부탁했답니다. 공번의 이런 모습에 사람들은 공번의 대단한 용기를 칭찬하고, 훌륭한 제자를 '청출어람'이라고 불렀답니다.

*북조: 옛날 중국의 여러 나라 중 하나.

1. '제자나 후배가 스승이나 선배보다 낫다'를 뜻하는 사자성어를 빈칸에 쓰세요.

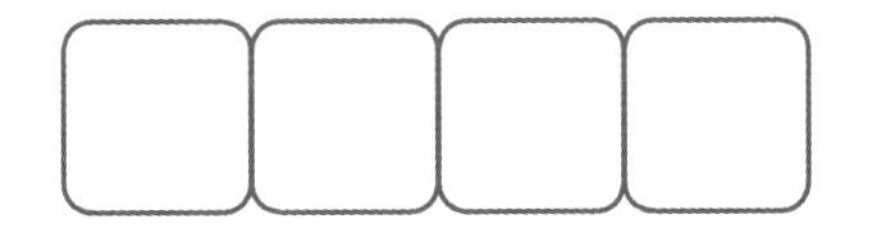

2. '청출어람'의 뜻을 생각하며, '청출어람'이 들어간 짧은 글짓기를 하세요.

스스로 평가

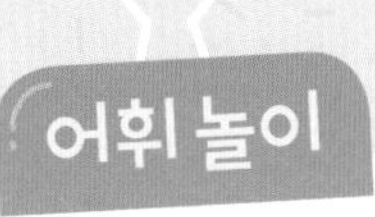

바른 길을 찾아라!

푯말에 있는 낱말의 뜻을 읽고, 알맞은 낱말이 쓰인 길을 따라 줄을 그으세요.

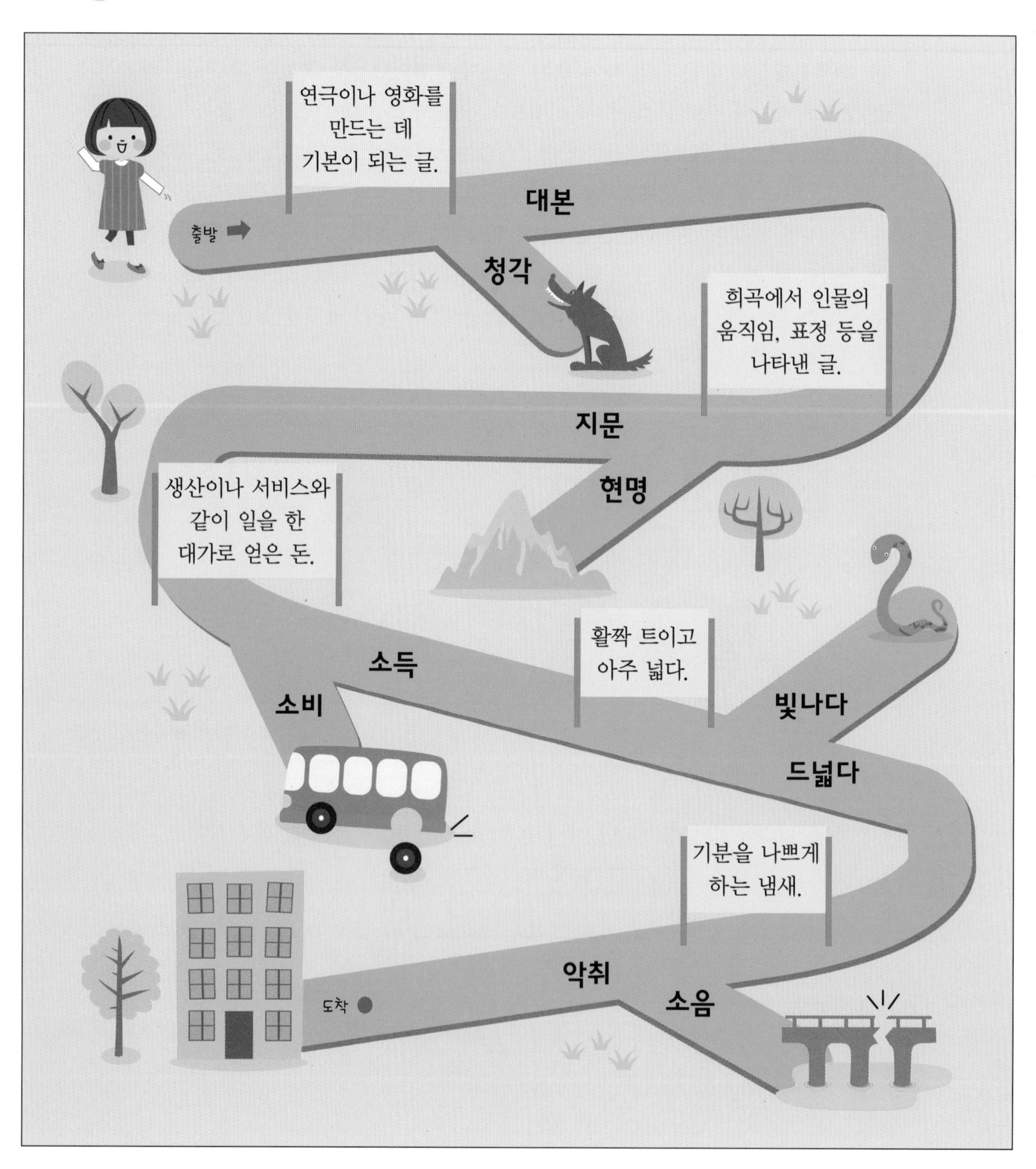

관심 있는 주제를 가운데 동그라미에 쓰고, 어휘들을
자유롭게 적으며 나만의 어휘 그물을 만들어 보세요.

내가 만드는 어휘 그물

3주

이번 주에 공부할 어휘들이에요.
어휘를 살펴보고,
알고 있는 어휘에 ✓를 하세요.
공부할 날짜를 쓰며
학습 계획도 세워 보세요.

1일 위인

공부할 날 월 일

- [ ] 가치관
- [ ] 발자취
- [ ] 본받다
- [ ] 생애
- [ ] 성취하다
- [ ] 소신
- [ ] 업적
- [ ] 자서전
- [ ] 전기

2일 전통

공부할 날 월 일

- [ ] 계승하다
- [ ] 고궁
- [ ] 고유하다
- [ ] 단청
- [ ] 물려주다
- [ ] 상주하다
- [ ] 웅장하다
- [ ] 자긍심
- [ ] 풍속

3일 국가

공부할 날 월 일

- [ ] 국경일
- [ ] 국민
- [ ] 대통령

- [ ] 민주 공화국
- [ ] 연설
- [ ] 영토
- [ ] 주권
- [ ] 통치
- [ ] 헌법

4일 올림픽

공부할 날 월 일

- [ ] 개막
- [ ] 개최
- [ ] 격려하다
- [ ] 끈기
- [ ] 메달
- [ ] 시합
- [ ] 참가하다
- [ ] 투지
- [ ] 폐막

5일 어휘 복습

공부할 날 월 일

아는 어휘 개 / 모르는 어휘 개

어휘 그물

1 일

위인

'위인'과 관련 있는 어휘와 그 뜻을 소리 내어 읽고, 어휘 그물을 살펴보며 빈칸에 알맞은 낱말을 쓰세요.

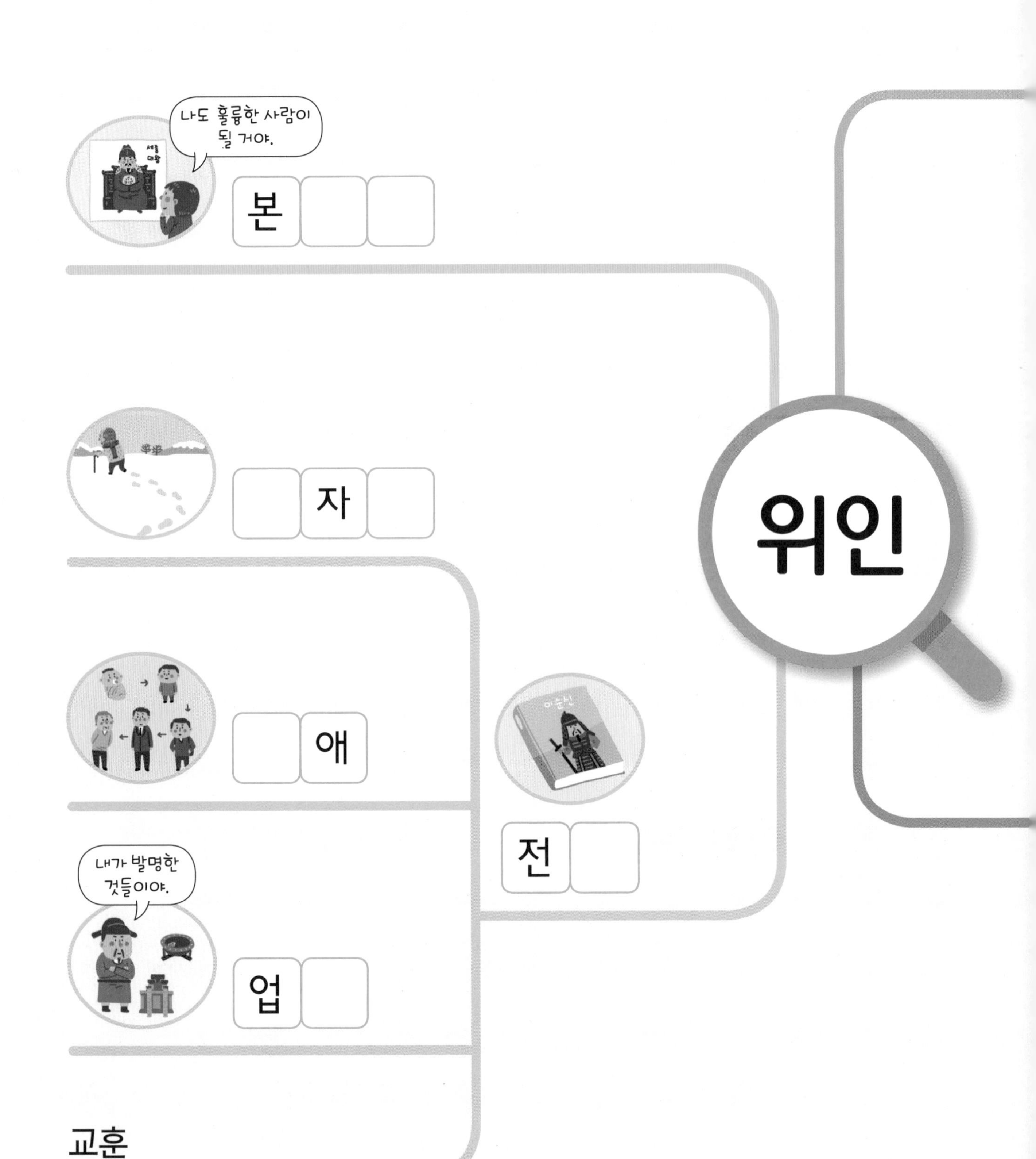

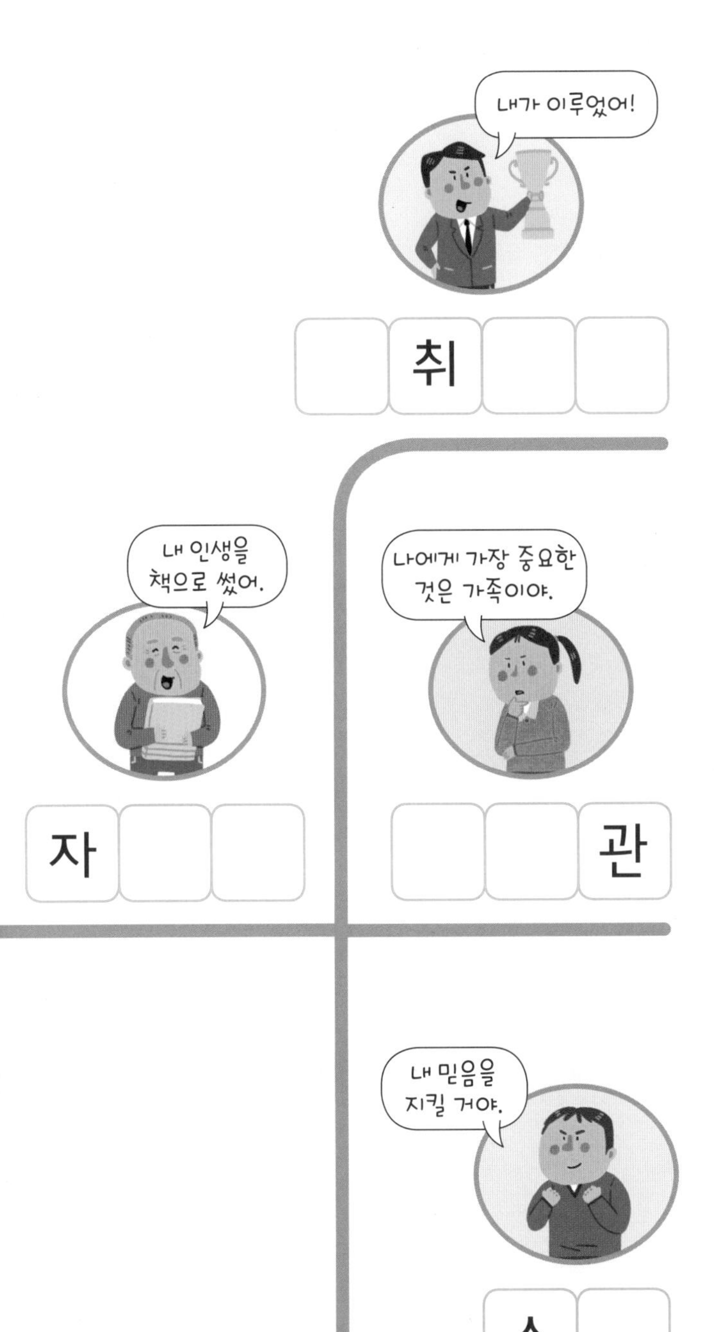

어휘 읽기

가치관(價 값 **가** 値 값 **치** 觀 볼 **관**)
자신이 속한 세상이나 사람들, 사물에 대해 가지는 태도나 판단 기준.

발자취
발로 밟고 지나갈 때 남는 흔적. 또는 비유적으로 과거에 지나온 과정을 이르는 말.

본(本 근본 **본**)**받다**
보고 배워서 본을 받을 만한 대상을 그대로 따라 하다.

생애(生 날 **생** 涯 끝 **애**)
사람이 태어나서 죽을 때까지의 기간.

성취(成 이룰 **성** 就 이룰 **취**)**하다**
목적한 것을 이루다.

소신(所 바 **소** 信 믿을 **신**)
자기가 굳게 믿는 생각.

업적(業 일 **업** 績 성과 **적**)
어떤 사업이나 연구 등에서 세운 훌륭한 결과.

자서전(自 스스로 **자** 敍 쓸 **서** 傳 전할 **전**)
자신의 살아온 이야기를 직접 쓴 글.

전기(傳 전할 **전** 記 기록할 **기**)
실제로 살았던 사람의 살아온 이야기를 기록한 글.

1 일 어휘 학습

낱말이나 뜻을 읽고, 알맞은 낱말을 보기 에서 찾아 빈칸에 쓰세요.

보기 이야기 본받다 소식 기간 성취하다

① ( ): 자기가 굳게 믿는 생각.

② 전기: 실제로 살았던 사람의 살아온 ( )를 기록한 글.

③ ( ): 보고 배워서 본을 받을 만한 대상을 그대로 따라 하다.

④ ( ): 목적한 것을 이루다.

⑤ 생애: 사람이 태어나서 죽을 때까지의 ( ).

글을 읽고, ( ) 안에 들어갈 알맞은 낱말을 찾아 선으로 이으세요.

세종 대왕의 대표적인 ( )은 한글 창제이다.	자서전
그는 자신의 삶을 기록한 ( )을 펴냈다.	가치관
이순신 장군의 ( )를 따라 역사 여행을 떠났다.	발자취
올바른 ( )을 갖기 위해 좋은 책을 많이 읽었다.	업적

연상 어휘

그림을 보고, 떠오르는 낱말을 보기 에서 찾아 빈칸에 쓰세요.

동음이의어

글을 읽고, 낱말 '전기'가 어떤 의미로 쓰였는지 알맞은 뜻을 찾아 선으로 이으세요.

집 안에 **전기**가 나갔다.

위대한 인물의 **전기**를 읽다.

전기(傳 전할 **전** 記 기록할 **기**)
실제로 살았던 사람의 살아온 이야기를 기록한 글.

전기(電 전기 **전** 氣 기운 **기**)
빛이나 열을 내거나 기계 등을 움직이는 데 쓰이는 에너지.

유의어

낱말을 읽고, 비슷한말을 보기 에서 찾아 빈칸에 쓰세요.

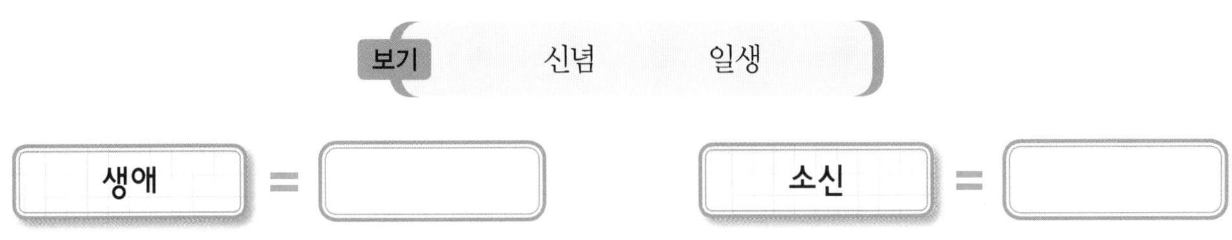

*'신념'은 '어떤 생각을 굳게 믿는 마음'을, '일생'은 '세상에 태어나서 죽을 때까지의 동안'을 뜻해요.

스스로 평가

전통

'전통'과 관련 있는 어휘와 그 뜻을 소리 내어 읽고, 어휘 그물을 살펴보며 빈칸에 알맞은 낱말을 쓰세요.

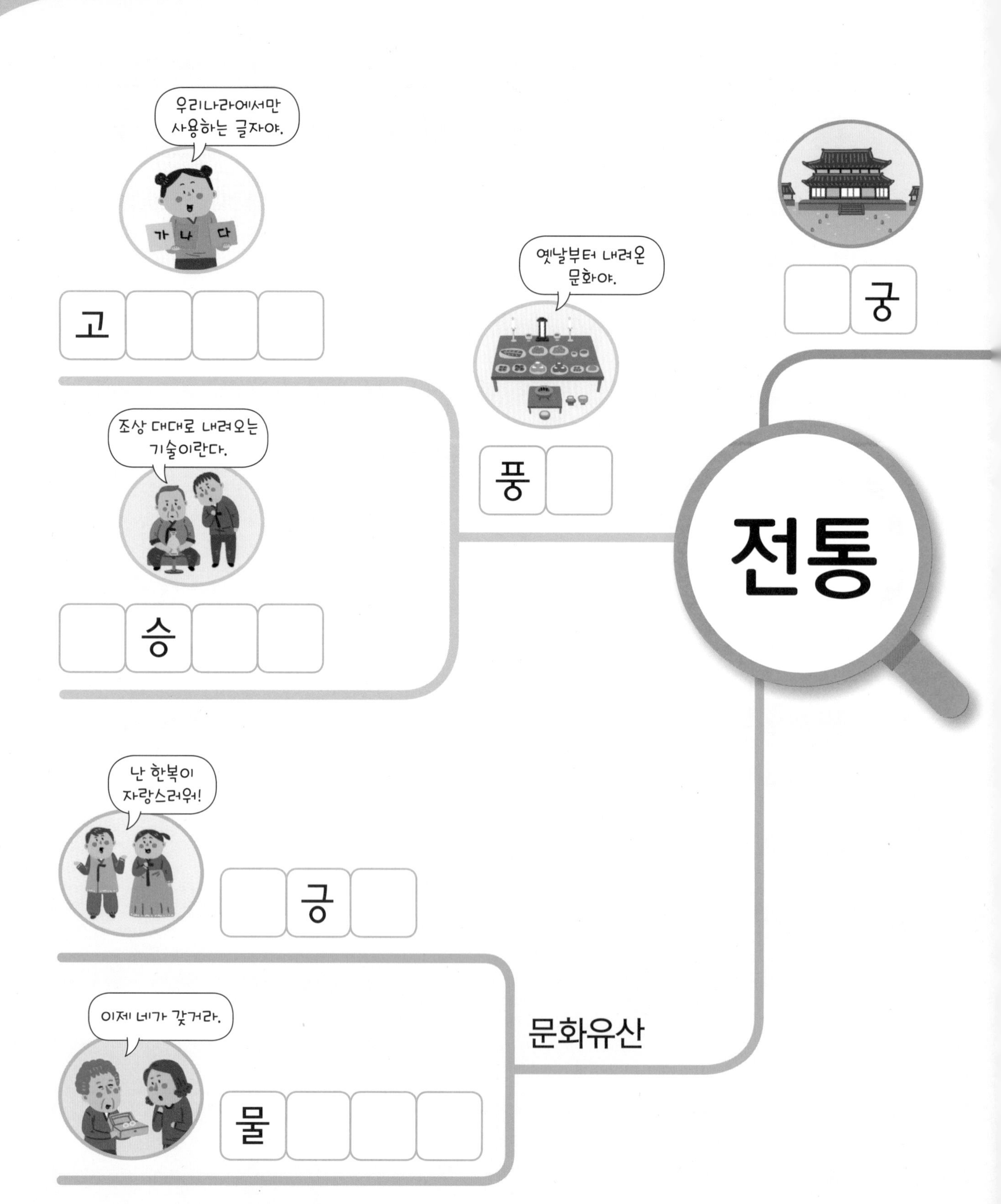

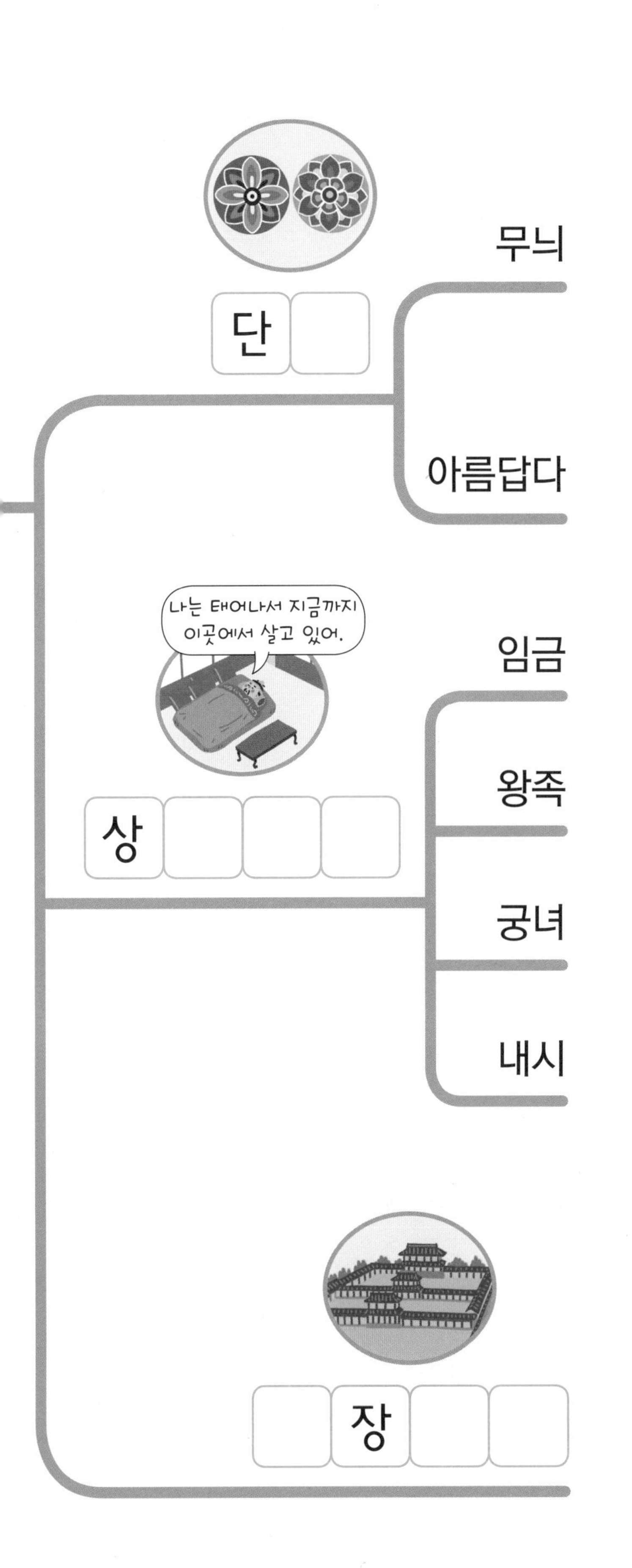

어휘 읽기

계승(繼 이을 **계** 承 받들 **승**)**하다**
조상의 전통이나 문화, 업적 등을 물려받아 계속 이어 나가다.

고궁(古 옛 **고** 宮 집 **궁**)
경복궁, 창경궁 같은 옛 궁궐.

고유(固 굳을 **고** 有 있을 **유**)**하다**
본래부터 가지고 있는 것으로 다른 것과 다르다.

단청(丹 붉을 **단** 青 푸를 **청**)
옛날식 건물의 벽, 기둥, 천장에 여러 가지 색으로 그린 그림이나 무늬.

물려주다
재물이나 지위, 직업 등을 전해 주다.

상주(常 항상 **상** 住 살 **주**)**하다**
한곳에 계속 머물러 살다.

웅장(雄 웅장할 **웅** 壯 장할 **장**)**하다**
크기나 분위기 등이 무척 크고 무게가 있다.

자긍심
(自 스스로 **자** 矜 자랑할 **긍** 心 마음 **심**)
스스로 자랑스럽게 여기는 마음.

풍속(風 바람 **풍** 俗 풍속 **속**)
옛날부터 한 사회에 이어져 내려오는 생활 습관.

낱말을 읽고, 알맞은 뜻을 찾아 선으로 이으세요.

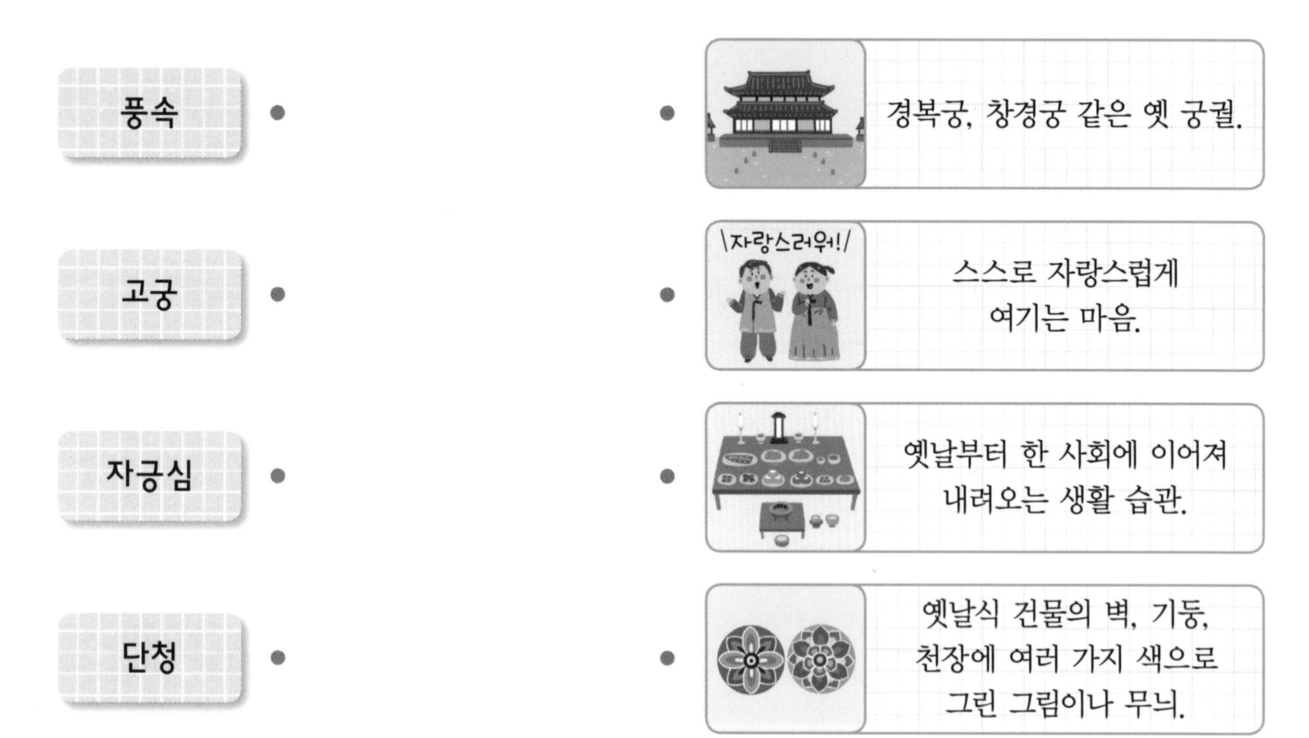

글을 읽고, 바른 문장이 되도록 알맞은 낱말을 보기 에서 찾아 빈칸에 쓰세요.

보기 상주하는 웅장한 고유한 물려주었다 계승해야

① 어느 민족이든 자신들의 (   ) 전통을 가지고 있다.

② 형은 옷과 장난감을 동생에게 (   ).

③ 이 마을에 (   ) 청년은 20명밖에 안 된다.

④ 옛날부터 내려오는 우리 문화를 잘 (   ) 한다.

⑤ 한복을 입고 (   ) 궁궐에서 사진을 찍었다.

한자어

'궁(宮)'과 '고(固)'의 뜻을 읽고, 알맞은 낱말을 보기 에서 찾아 빈칸에 쓰세요.

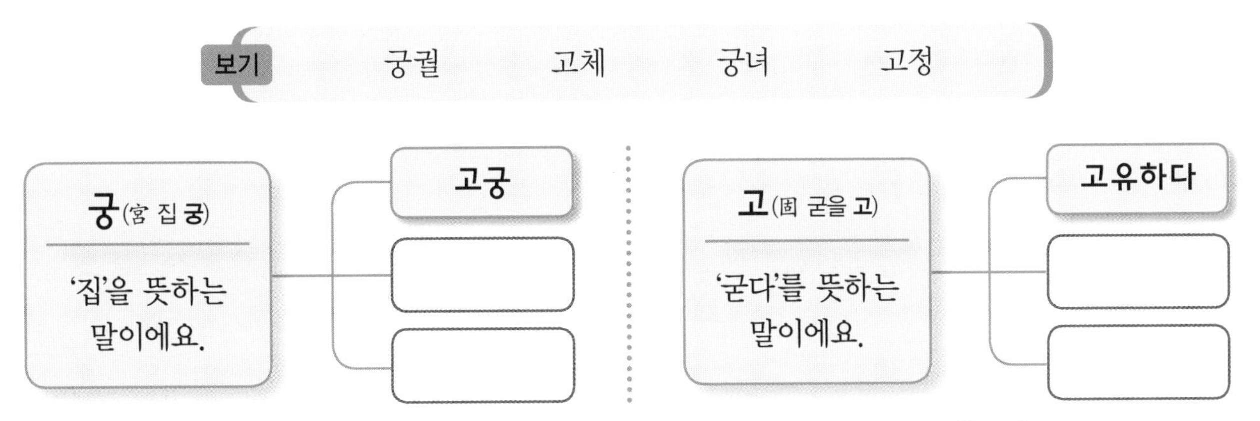

*'궁녀'은 '궁궐 안에서 왕과 그 가족들을 모시는 시녀'를, '고정'은 '한곳에서 움직이지 않음. 또는 움직이지 않게 함'을 뜻해요.

유의어 · 반의어

낱말을 읽고, 낱말의 뜻이 서로 비슷하면 '='를, 반대이면 '↔'를 ○ 안에 쓰세요.

*'고전'은 '옛 궁전'을, '웅대하다'는 '매우 크고 굉장하다'를, '단벽'은 '옛날식 집의 벽, 기둥, 천장 등에 여러 가지 빛깔로 그린 그림이나 무늬'를 뜻해요.

속담

만화를 보고, 상황에 맞는 글이 되도록 알맞은 낱말을 보기 에서 찾아 빈칸에 쓰세요.

▶속담 '잘되면 제 탓, 못되면 조상 탓'은 '일이 잘되면 자신이 잘해서 되었다고 하고, 잘못되면 남이 잘못해서 그렇다고 원망한다'는 뜻이에요.

스스로 평가

어휘 그물

3일 국가

'국가'와 관련 있는 어휘와 그 뜻을 소리 내어 읽고, 어휘 그물을 살펴보며 빈칸에 알맞은 낱말을 쓰세요.

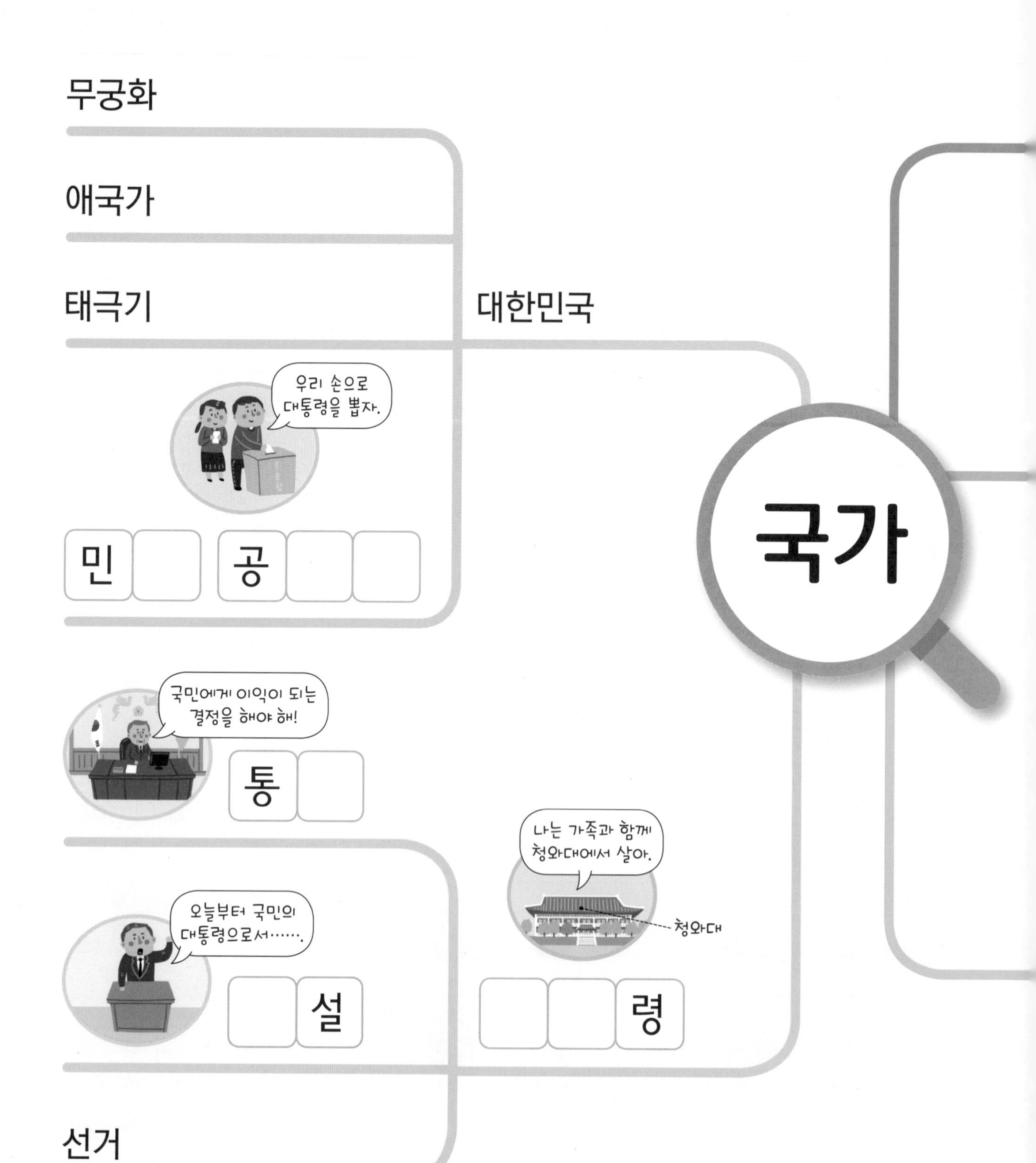

법

경

영

권

구성 요소

국

어휘 읽기

국경일(國 나라 **국** 慶 경사 **경** 日 날 **일**)
나라의 경사를 기념하기 위해 법으로
정하여 축하하는 날.

국민(國 나라 **국** 民 백성 **민**)
한 나라를 이루고 사는 사람들.

대통령
(大 클 **대** 統 거느릴 **통** 領 거느릴 **령(영)**)
국민의 대표로 뽑혀서 정해진 기간 동안
나라를 대표하고 다스리는 사람.

민주 공화국 (民 백성 **민** 主 주인 **주**
共 함께 **공** 和 화목할 **화** 國 나라 **국**)
국민이 뽑은 대표자가 국민의 뜻에 따라
다스리는 나라 형태.

연설(演 펼 **연** 說 말씀 **설**)
여러 사람 앞에서 자기의 생각이나 주장을
발표하는 것.

영토(領 거느릴 **령(영)** 土 땅 **토**)
한 나라의 주권이 미치는 땅.

주권(主 주인 **주** 權 권세 **권**)
국가의 의사를 최종적으로 결정하는
최고의 힘.

통치(統 거느릴 **통** 治 다스릴 **치**)
나라나 지역을 맡아 다스리는 것.

헌법(憲 법 **헌** 法 법 **법**)
한 나라의 법 중에서 가장 으뜸이 되는 법.

3일 어휘 학습

뜻을 읽고, 알맞은 낱말을 보기 에서 찾아 빈칸에 쓰세요.

보기 국민 헌법 연설 통치

한 나라의 법 중에서 가장 으뜸이 되는 법. (　　　　)

나라나 지역을 맡아 다스리는 것. (　　　　)

여러 사람 앞에서 자기의 생각이나 주장을 발표하는 것. (　　　　)

한 나라를 이루고 사는 사람들. (　　　　)

글을 읽고, 바른 문장이 되도록 알맞은 낱말을 찾아 ○ 하세요.

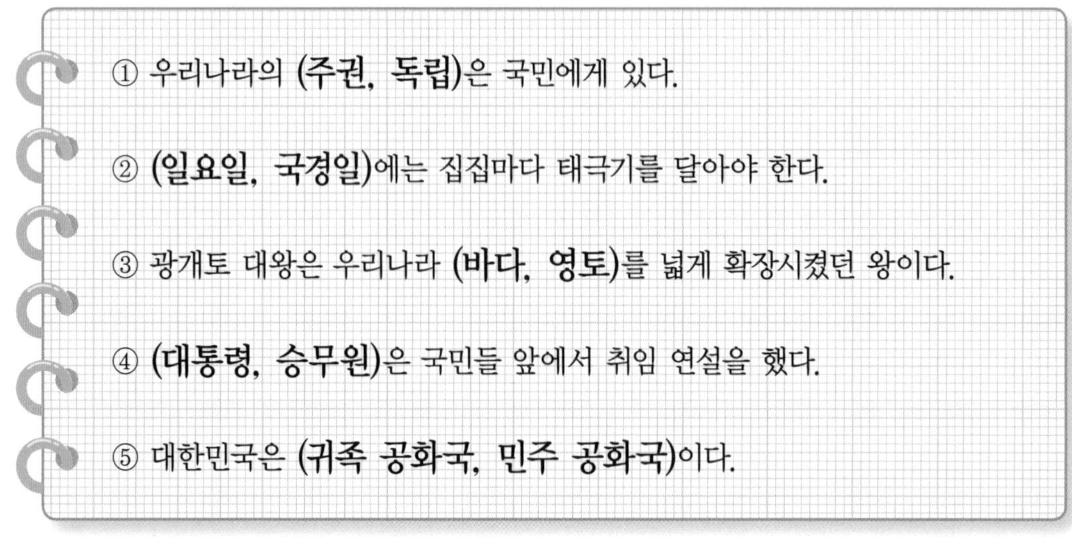

① 우리나라의 **(주권, 독립)**은 국민에게 있다.

② **(일요일, 국경일)**에는 집집마다 태극기를 달아야 한다.

③ 광개토 대왕은 우리나라 **(바다, 영토)**를 넓게 확장시켰던 왕이다.

④ **(대통령, 승무원)**은 국민들 앞에서 취임 연설을 했다.

⑤ 대한민국은 **(귀족 공화국, 민주 공화국)**이다.

*'취임'은 '새로 맡은 일을 수행하기 위해 맡은 자리에 처음으로 나아감'을 뜻해요.

연상 어휘

그림을 보고, 떠오르는 낱말을 보기 에서 찾아 빈칸에 쓰세요.

보기 선거 민주주의

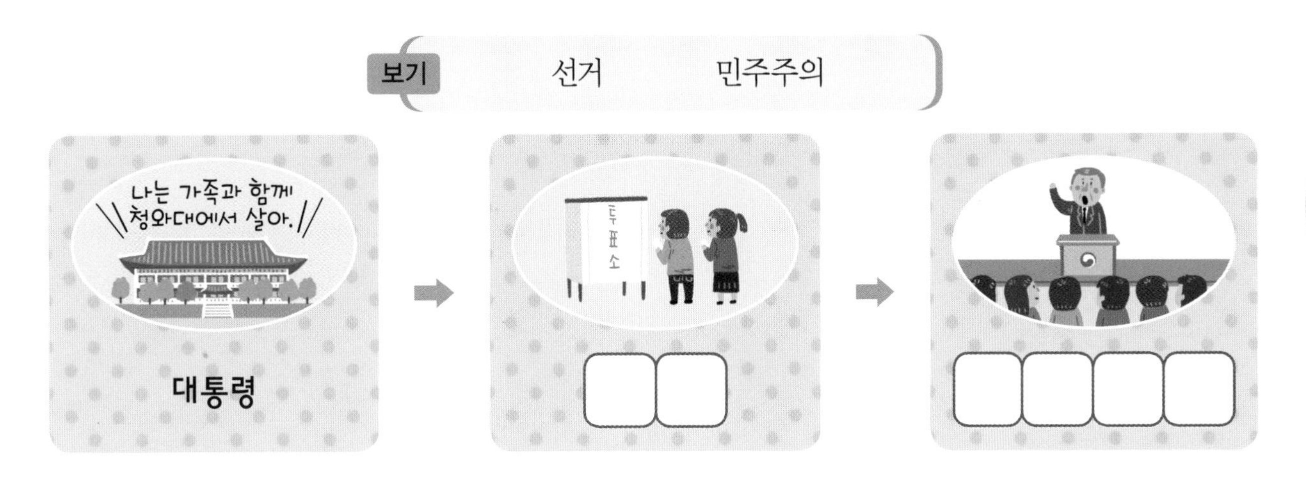

한자어

'법(法)'과 '치(治)'의 뜻을 읽고, 알맞은 낱말을 보기 에서 찾아 빈칸에 쓰세요.

보기 치료 법칙 치안 위법

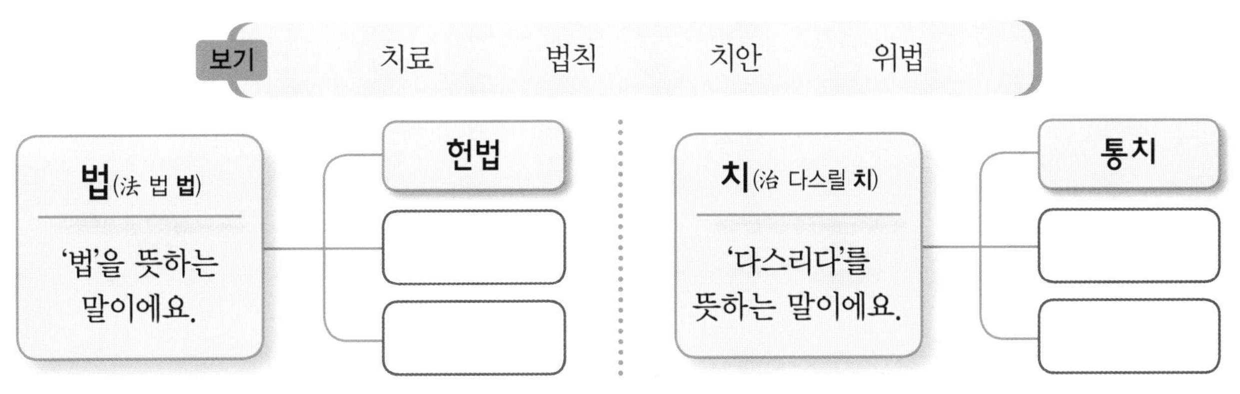

*'법칙'은 '반드시 지켜야 하는 규범'을, '치안'은 '사회의 안전과 질서를 지키는 것'을, '위법'은 '법이나 명령 등을 어김'을 뜻해요.

상위어 · 하위어

낱말을 읽고, 알맞은 낱말을 보기 에서 찾아 빈칸에 쓰세요.

보기 국경일 주권

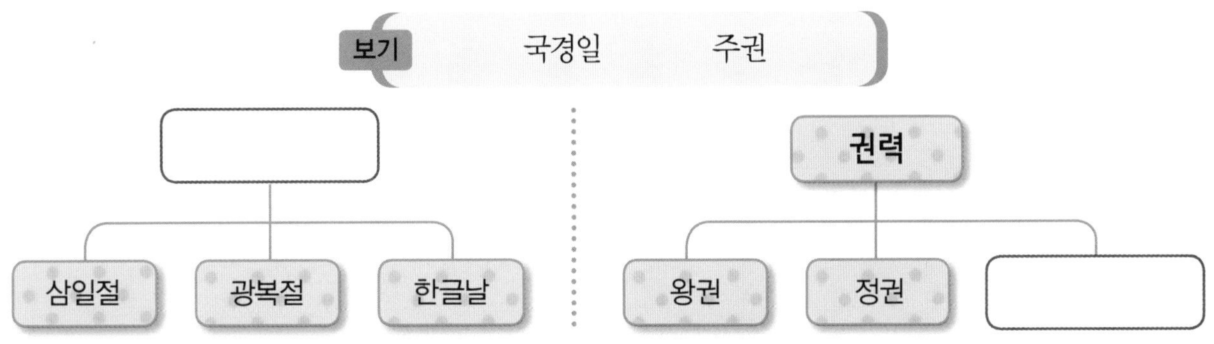

*'권력'은 '나라를 다스리거나 남을 부릴 수 있는 힘'을, '정권'은 '정치를 맡아 하는 권력'을 뜻해요.

스스로 평가

올림픽

'올림픽'과 관련 있는 어휘와 그 뜻을 소리 내어 읽고, 어휘 그물을 살펴보며 빈칸에 알맞은 낱말을 쓰세요.

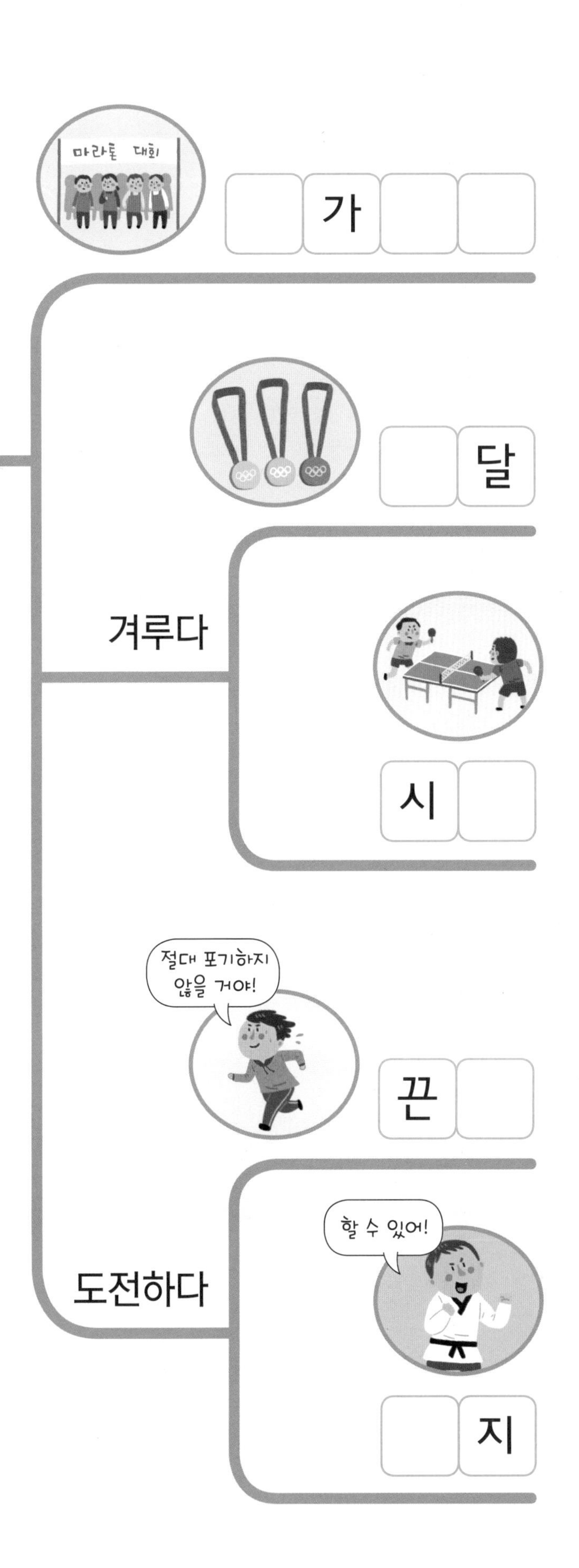

어휘 읽기

개막(開 열 **개** 幕 장막 **막**)
공연이나 행사를 시작하는 것.

개최(開 열 **개** 催 재촉할 **최**)
모임이나 행사 같은 것을 맡아서 여는 것.

격려(激 격할 **격** 勵 힘쓸 **려**)**하다**
용기나 의욕이 생기도록 북돋아 주다.

끈기(氣 기운 **기**)
쉽게 포기하지 않고 계속해서 참고 견디는 성질.

메달
글씨나 그림을 새겨서 상이나 기념품으로 주는 둥근 쇠붙이.

시합(試 시험 **시** 合 합할 **합**)
운동 등의 경기에서 서로 실력을 발휘하여 승부를 겨루는 일.

참가(參 참여할 **참** 加 더할 **가**)**하다**
모임이나 단체, 경기, 행사 등의 자리에 가서 함께하다.

투지(鬪 싸울 **투** 志 뜻 **지**)
어려움에 맞서 끝까지 싸우려는 굳센 마음.

폐막(閉 닫을 **폐** 幕 장막 **막**)
공연이나 행사가 끝나는 것.

낱말을 읽고, 알맞은 뜻을 찾아 선으로 이으세요.

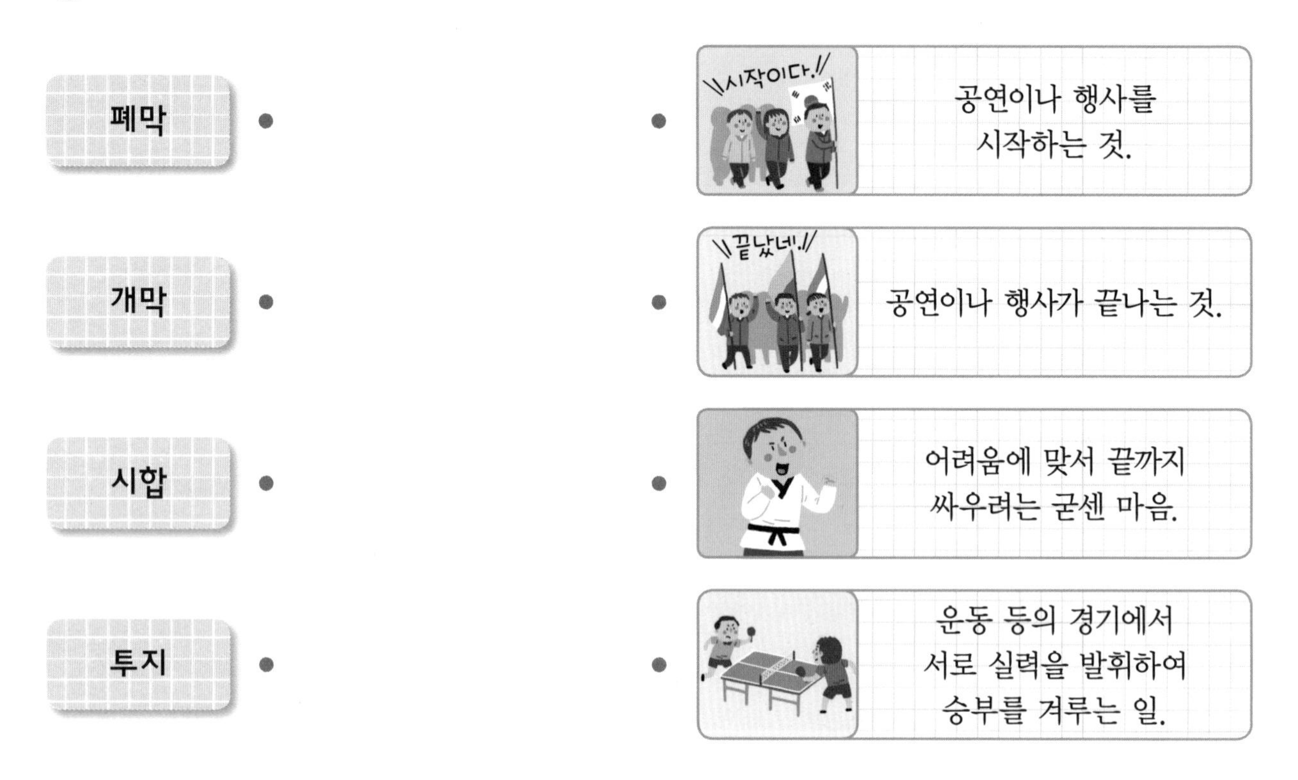

글을 읽고, 바른 문장이 되도록 알맞은 낱말을 **보기** 에서 찾아 빈칸에 쓰세요.

보기 개최 끈기 격려했다 메달 참가하기

① 사람들은 시합에 진 선수들을 ______.

② 2018년에 우리나라에서 평창 동계 올림픽을 ______ 했다.

③ 이번 올림픽에서 우리나라는 20개가 넘는 ______ 을 땄다.

④ 수미는 끝까지 포기하지 않는 ______ 를 가지고 있다.

⑤ 삼촌은 대회에 ______ 위해 매일 훈련했다.

한자어

'막(幕)'과 '투(鬪)'의 뜻을 읽고, 알맞은 낱말을 보기 에서 찾아 빈칸에 쓰세요.

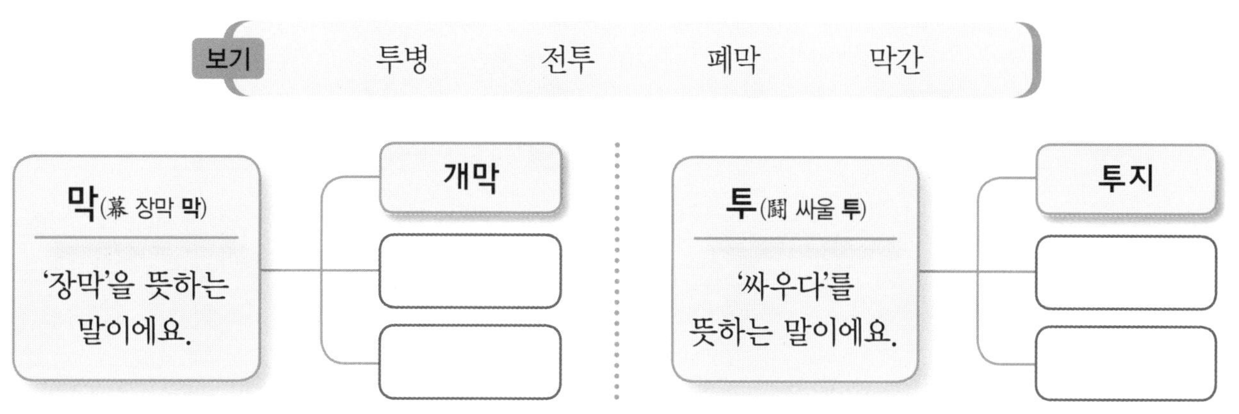

*'투병'은 '병을 고치려고 병과 싸우는 것'을, '막간'은 '어떤 일이 잠깐 중단되어 쉬는 동안'을 뜻해요.

상위어

낱말을 읽고, 포함하는 말을 보기 에서 찾아 빈칸에 쓰세요.

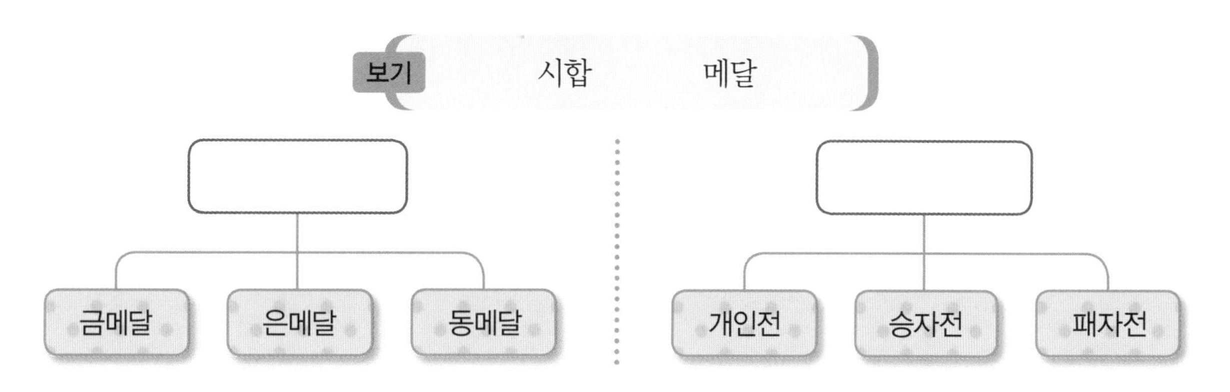

속담

만화를 보고, 상황에 맞는 글이 되도록 알맞은 낱말을 보기 에서 찾아 빈칸에 쓰세요.

▶속담 '작은 고추가 더 맵다'는 '몸집이 작은 사람이 큰 사람보다 재주가 뛰어나고 야무지다'는 뜻이에요.

스스로 평가

4주

국어 낱말을 읽고, 알맞은 뜻을 찾아 선으로 이으세요.

임금	조선 시대에 정오품이라는 벼슬자리를 받은 궁녀.
생애	옛날에 나랏일을 맡아보던 자리. 또는 그런 일.
벼슬	옛날에 대를 이어 가면서 나라를 다스리던 사람.
상궁	사람이 태어나서 죽을 때까지의 기간.

국어 글을 읽고, 바른 문장이 되도록 알맞은 낱말을 보기 에서 찾아 빈칸에 쓰세요.

보기 간략하게 안타깝게 흥미진진했다 본받고

① 주인공의 용기와 지혜를 (   ) 싶었다.

② 주인공의 어려운 상황이 (   ) 느껴졌다.

③ 주인공의 모험 이야기가 무척 (   ).

④ 독서 감상문을 쓸 때는 책 내용을 (   ) 정리해 쓴다.

*'안타깝다'는 '뜻대로 되지 않거나 보기에 딱하여 가슴이 아프고 답답하다'를, '흥미진진하다'는 '넘쳐흐를 정도로 흥미가 매우 많다'를 뜻해요.

수학 낱말이나 뜻을 읽고, 알맞은 낱말을 보기 에서 찾아 빈칸에 쓰세요.

보기 삼각자 직각 평행선 사각형

① 수직: 직선이나 평면 등이 서로 만나 [　　　　]을 이루는 상태.

② [　　　　]: 한 평면 위에서 서로 만나지 않는 두 직선.

③ 평행사변형: 마주 보는 두 쌍의 변이 서로 평행한 [　　　　].

④ [　　　　]: 삼각형으로 된 자.

*'직각'은 '두 직선이 만나서 이루는 90도의 각'을 뜻해요.

사회 뜻을 읽고, 알맞은 낱말을 보기 에서 찾아 빈칸에 쓰세요.

보기 발명품 물려주다 건축물

재물이나 지위, 직업 등을 전해 주다. [　　　　]

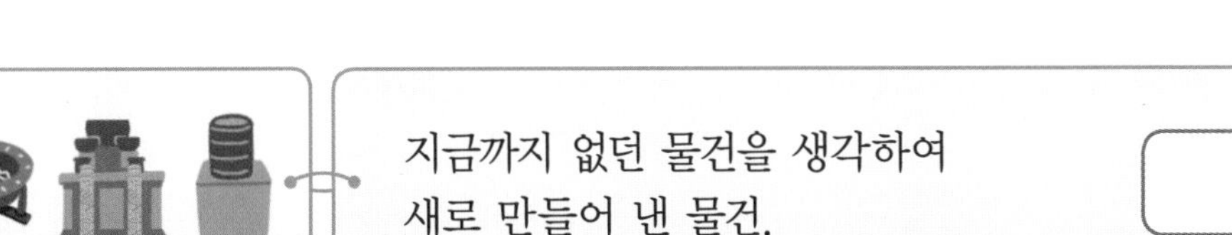

지금까지 없던 물건을 생각하여 새로 만들어 낸 물건. [　　　　]

땅 위에 지은 구조물 중에서 지붕, 기둥, 벽이 있는 건물을 통틀어 부르는 말. [　　　　]

과학 낱말을 읽고, 알맞은 뜻을 찾아 선으로 이으세요.

낱말	뜻
체급	권투, 유도, 역도 등에서 선수의 몸무게에 따라서 매겨진 등급.
받침점	저울로 물건의 무게를 잴 때 쓰는 일정한 무게의 쇠.
추	지렛대가 쓰러지지 않도록 아래를 받치는 고정된 점.

과학 글을 읽고, 바른 문장이 되도록 알맞은 낱말을 보기 에서 찾아 빈칸에 쓰세요.

보기 체중계 수평 짐작 끌어당기는 무게

① 물체를 들어 보면 어느 물체가 더 무거운지 ☐ 할 수 있다.

② 물체가 무거울수록 지구가 물체를 ☐ 힘의 크기가 크다.

③ 선수들은 ☐ 에 올라가서 몸무게를 쟀다.

④ 양팔저울은 ☐ 잡기의 원리를 이용해 만든 저울이다.

⑤ 저울을 사용하면 물체의 ☐ 를 정확하게 측정할 수 있다.

*'체중계'는 '몸무게를 재는 데에 쓰는 저울'을, '짐작'은 '사정이나 형편 등을 어림잡아 생각하는 것'을 뜻해요.

사자성어 '불요불굴'에 대한 글을 읽고, 물음에 답하세요.

불요불굴(不撓不屈)

'불요불굴'은 '不(아닐 불)', '撓(구부러질 요)', '不(아닐 불)', '屈(굽을 굴)' 자를 써서 '구부러지지도 굽히지도 않는다'는 뜻으로, '뜻이나 결심이 꺾이거나 휘어지지 않는 태도'를 말해요. 이 말은 중국 전한 시대 한나라 때 재상*인 왕상의 대쪽같이 곧고 올바른 성품을 말한 데서 유래되었어요. 한나라 성제 때, 여름에 큰 홍수가 나서 성이 모두 물속에 잠길 거라는 소문이 떠돌았어요. 신하들은 제대로 조사해 보지 않고 성제에게 얼른 몸을 피해야 한다고 했어요. 그러나 왕상만이 나라에 혼란을 일으키려는 자들이 낸 헛소문*이라며 떠나지 말고 자리를 지켜야 한다고 끝까지 주장했어요. 이에 성제는 왕상의 말이 옳다고 생각하고 성에 머물며 혼란을 잠재웠지요. 결국 왕상의 말대로 홍수가 난다는 소문은 근거 없는 이야기로 밝혀졌고, 여름이 되어도 홍수는 나지 않았답니다.

*재상: 옛날에 아주 높은 벼슬아치를 이르는 말.
*헛소문: 근거 없이 떠도는 소문.

1. '뜻이나 결심이 꺾이거나 휘어지지 않는 태도'를 뜻하는 사자성어를 빈칸에 쓰세요.

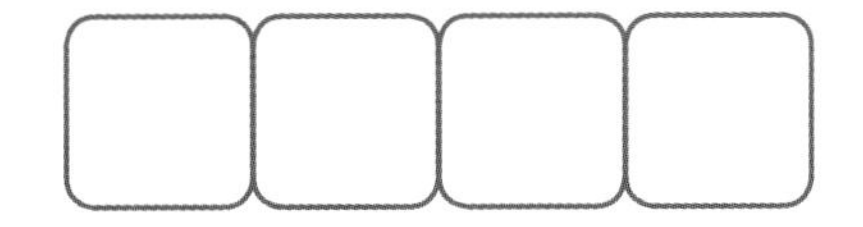

2. '불요불굴'의 뜻을 생각하며, '불요불굴'이 들어간 짧은 글짓기를 하세요.

____

스스로 평가

낱말 퍼즐 완성하기!

가로와 세로의 낱말 뜻풀이를 읽고, 빈칸에 알맞은 낱말을 쓰세요.

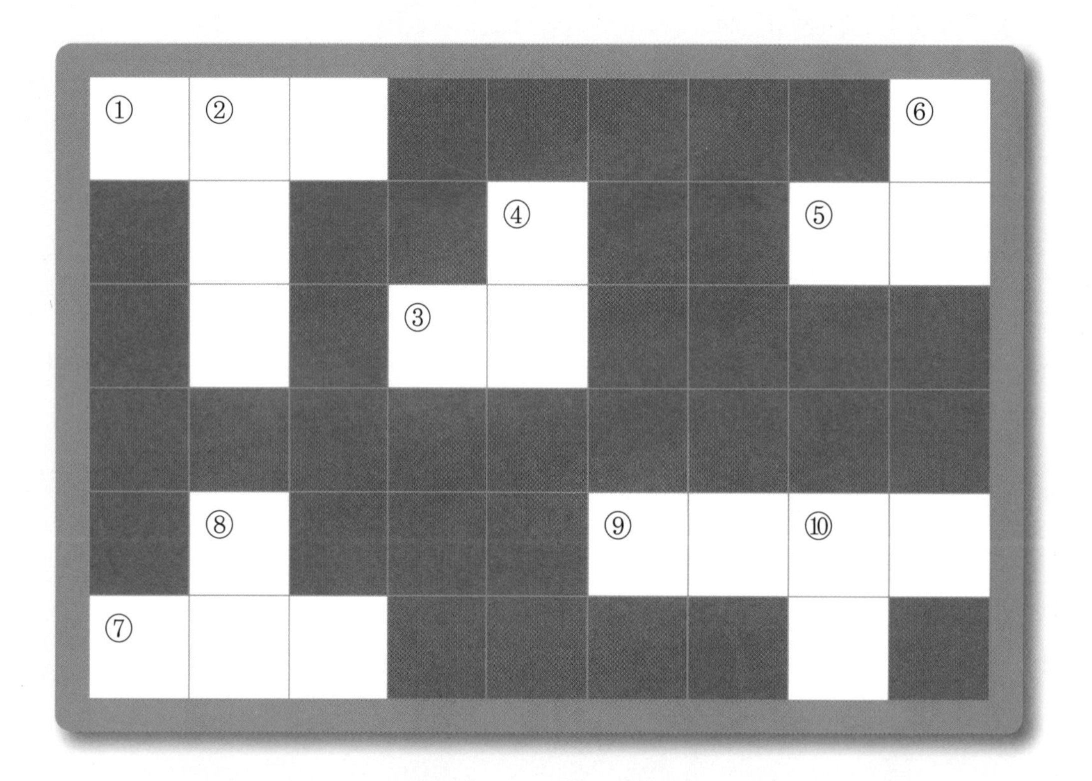

가로

① 발로 밟고 지나갈 때 남는 흔적. 또는 비유적으로 과거에 지나온 과정을 이르는 말.

③ 공연이나 행사가 끝나는 것.

⑤ 실제로 살았던 사람의 살아온 이야기를 기록한 글.

⑦ 자신이 속한 세상이나 사람들, 사물에 대해 가지는 태도나 판단 기준.

⑨ 재물이나 지위, 직업 등을 전해 주다.

세로

② 스스로 자랑스럽게 여기는 마음.

④ 공연이나 행사를 시작하는 것.

⑥ 쉽게 포기하지 않고 계속해서 참고 견디는 성질.

⑧ 나라나 지역을 맡아 다스리는 것.

⑩ 국가의 의사를 최종적으로 결정하는 최고의 힘.

관심 있는 주제를 가운데 동그라미에 쓰고, 어휘들을
자유롭게 적으며 나만의 어휘 그물을 만들어 보세요.

내가 만드는 어휘 그물

초등 교과 연계표

›› 〈1일 10분 초등 메가 어휘력〉은 초등 주요 교과에서 뽑은 어휘들과 교과 학습에 도움이 되는 어휘들로 이루어져 있습니다.

1주

일	주제	교과 및 연계 단원	
1	문학	**국어 3-2** ㉮ 4. 감동을 나타내요 **국어 3-2** ㉯ 9. 작품 속 인물이 되어	**국어 4-2** ㉯ 6. 본받고 싶은 인물을 찾아봐요
2	민주주의	**국어 4-2** ㉯ 8. 생각하며 읽어요 **사회 3-2** 3. 가족의 형태와 역할 변화	**사회 4-2** 3. 사회 변화와 문화의 다양성
3	날씨	**국어 3-2** ㉯ 8. 글의 흐름을 생각해요 **사회 3-2** 1. 환경에 따라 다른 삶의 모습	**과학 4-2** 2. 물의 상태 변화
4	문화유산	**국어 3-2** ㉮ 2. 중심 생각을 찾아요 **국어 3-2** ㉯ 8. 글의 흐름을 생각해요	**국어 4-2** ㉯ 8. 생각하며 읽어요 **사회 3-2** 2. 시대마다 다른 삶의 모습
5	어휘 복습	**국어 3-2** ㉮ 2. 중심 생각을 찾아요 **수학 4-2** 2. 삼각형	**사회 3-2** 3. 가족의 형태와 역할 변화

2주

일	주제	교과 및 연계 단원	
1	시	**국어 3-1** ㉮ 1. 재미가 톡톡톡 **국어 4-1** ㉯ 7. 사전은 내 친구	**국어 4-2** ㉮ 1. 이어질 장면을 생각해요
2	명절	**국어 3-1** ㉯ 7. 반갑다, 국어사전	**사회 3-2** 2. 시대마다 다른 삶의 모습
3	환경 오염	**국어 3-2** ㉮ 2. 중심 생각을 찾아요 **사회 3-1** 3. 교통과 통신 수단의 변화	**사회 4-1** 3. 지역의 공공 기관과 주민 참여
4	소설	**국어 4-2** ㉮ 1. 이어질 장면을 생각해요 **국어 4-2** ㉯ 6. 본받고 싶은 인물을 찾아봐요	**사회 3-2** 3. 가족의 형태와 역할 변화
5	어휘 복습	**국어 4-1** ㉮ 3. 느낌을 살려 말해요 **국어 4-1** ㉯ 7. 사전은 내 친구	**사회 4-2** 2. 필요한 것의 생산과 교환

3주

일	주제	교과 및 연계 단원	
1	감각	**국어 3-2** ㉮ 4. 감동을 나타내요 **사회 4-1** 3. 지역의 공공 기관과 주민 참여	**과학 3-2** 5. 소리의 성질
2	경제	**국어 4-1** ㉮ 3. 느낌을 살려 말해요 **사회 3-2** 1. 환경에 따라 다른 삶의 모습	**사회 4-2** 2. 필요한 것의 생산과 교환
3	희곡	**국어 3-2** ㉯ 9. 작품 속 인물이 되어 **국어 4-2** ㉮ 1. 이어질 장면을 생각해요	**국어 4-2** ㉮ 2. 마음을 전하는 글을 써요
4	우주	**국어 4-1** ㉯ 7. 사전은 내 친구 **국어 4-2** ㉯ 7. 독서 감상문을 써요	**사회 4-1** 1. 지역의 위치와 특성 **과학 4-1** 4. 물체의 무게
5	어휘 복습	**국어 4-1** ㉮ 2. 내용을 간추려요 **국어 4-2** ㉯ 5. 의견이 드러나게 글을 써요 **수학 4-1** 5. 막대그래프	**수학 4-2** 5. 꺾은선그래프 **사회 4-2** 2. 필요한 것의 생산과 교환

일	주제	교과 및 연계 단원	
1	위인	**국어 4-1** ㉯ 9. 자랑스러운 한글 **국어 4-2** ㉯ 6. 본받고 싶은 인물을 찾아봐요	**도덕 3** 2. 인내하며 최선을 다하는 생활
2	전통	**국어 3-2** ㉯ 8. 글의 흐름을 생각해요 **사회 3-1** 2. 우리가 알아보는 고장 이야기	**사회 3-2** 2. 시대마다 다른 삶의 모습
3	국가	**국어 4-2** ㉮ 2. 마음을 전하는 글을 써요	**도덕 4** 5. 하나 되는 우리
4	올림픽	**국어 3-2** ㉯ 7. 글을 읽고 소개해요 **국어 4-1** ㉮ 5. 내가 만든 이야기	**사회 4-1** 3. 지역의 공공 기관과 주민 참여 **도덕 3** 2. 인내하며 최선을 다하는 생활
5	어휘 복습	**국어 4-2** ㉯ 6. 본받고 싶은 인물을 찾아봐요 **국어 4-2** ㉯ 7. 독서 감상문을 써요 **수학 4-2** 4. 사각형	**사회 4-1** 2. 우리가 알아보는 지역의 역사 **과학 4-1** 4. 물체의 무게

1일

8~9쪽

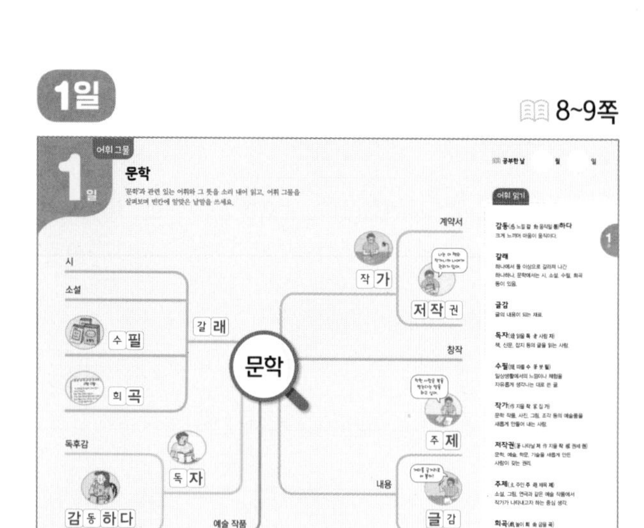

10~11쪽

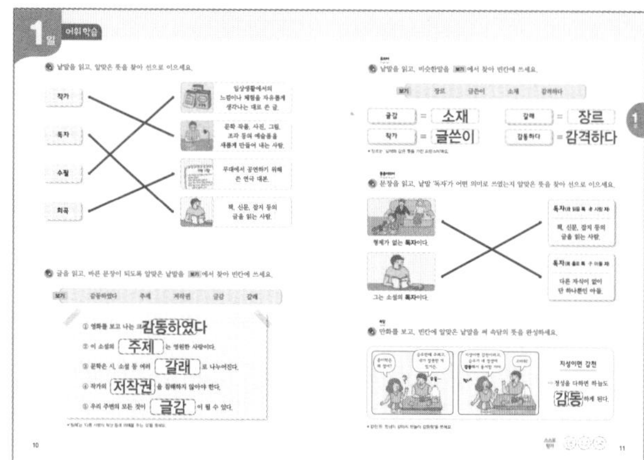

2일

12~13쪽

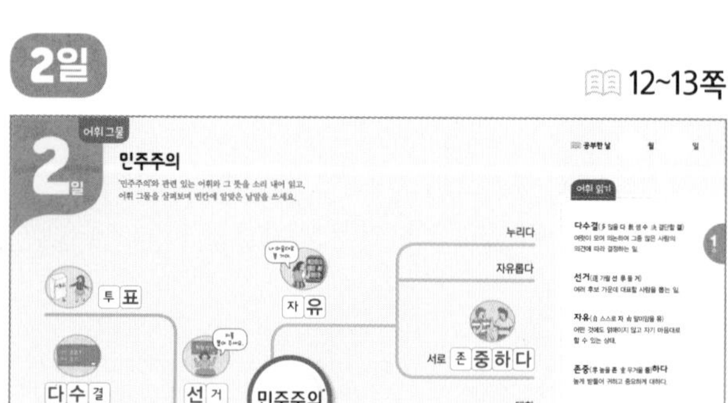

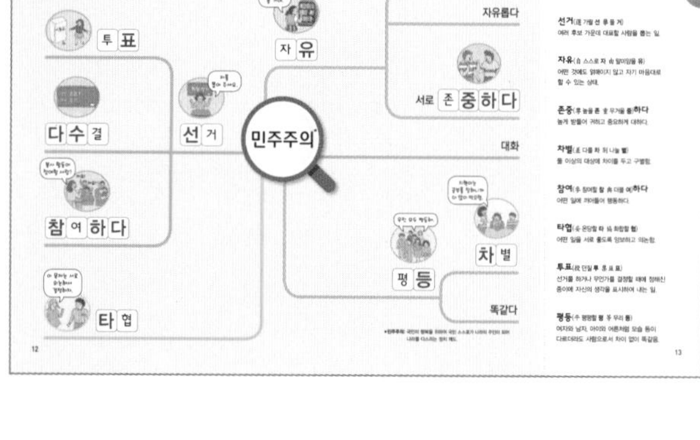

14~15쪽

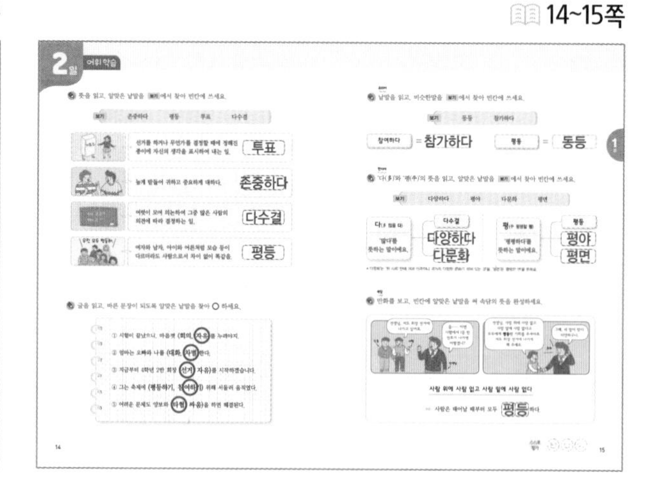

3일

16~17쪽

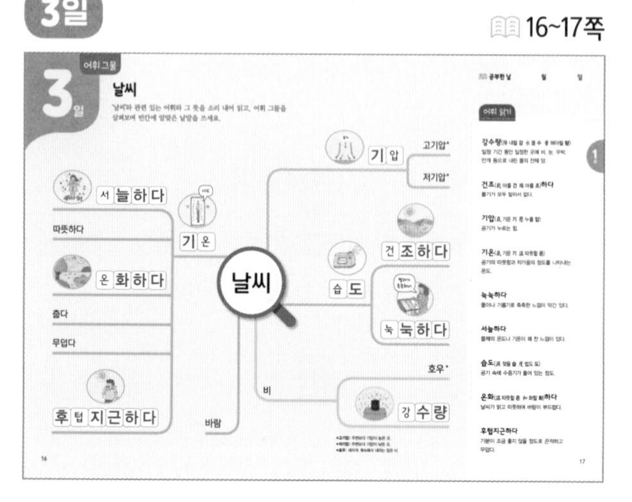

18~19쪽

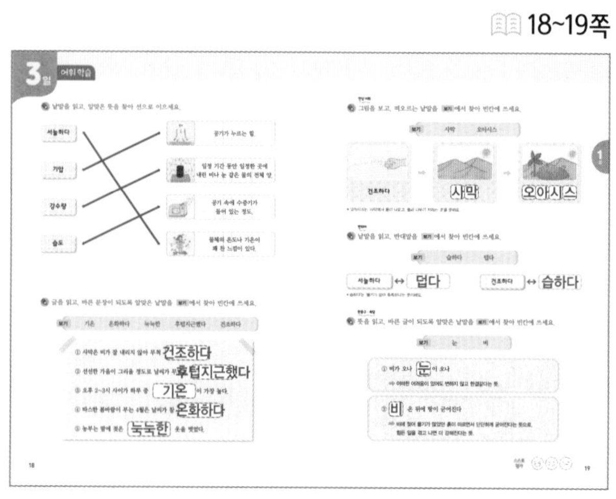

4일

20~21쪽

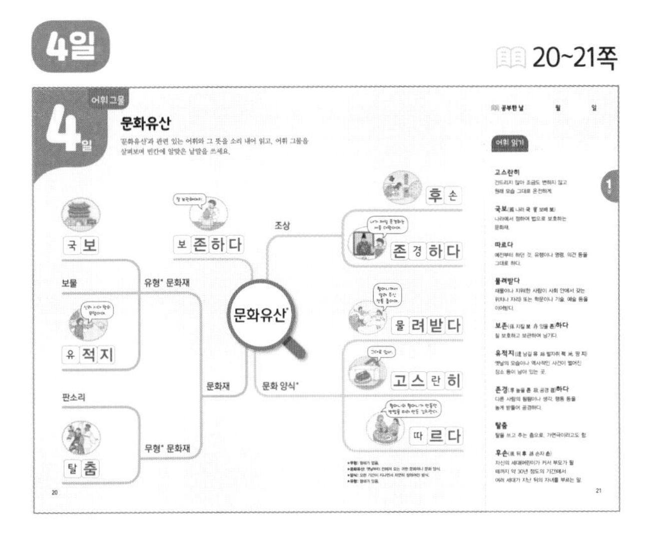

22~23쪽

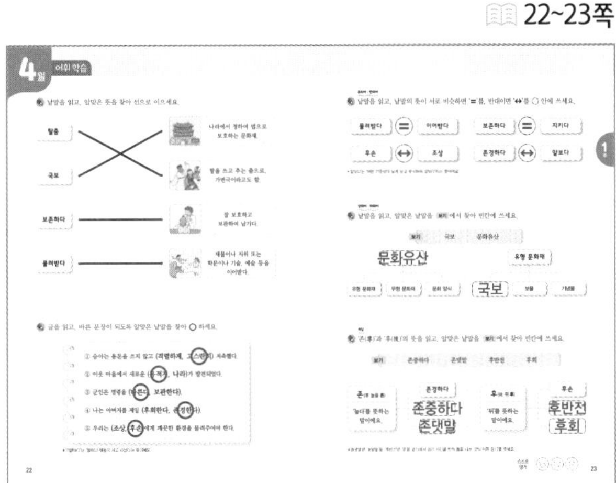

5일

24~25쪽

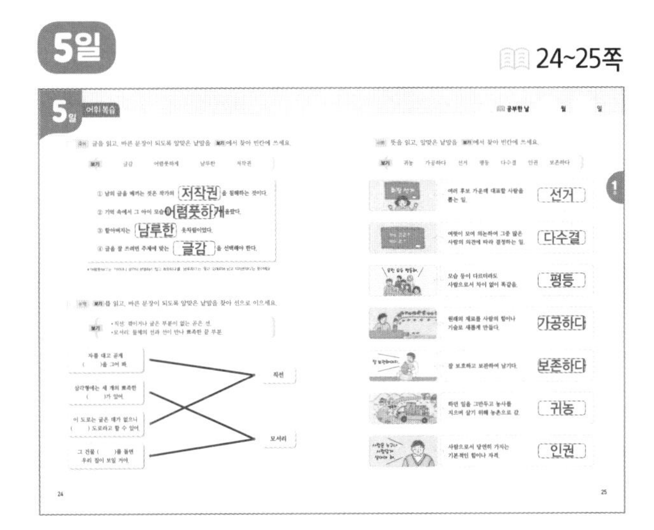

26~27쪽

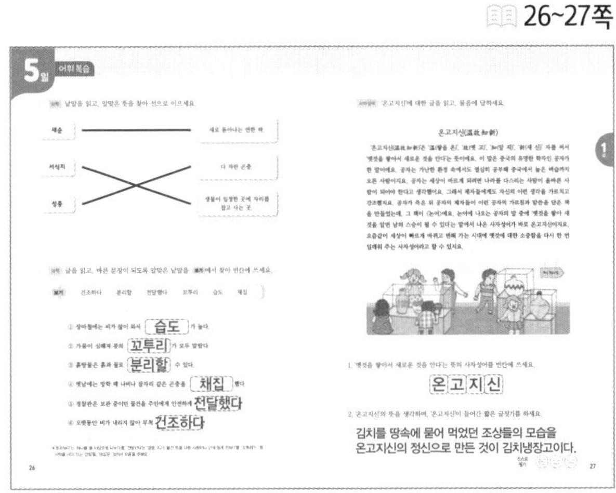

28쪽

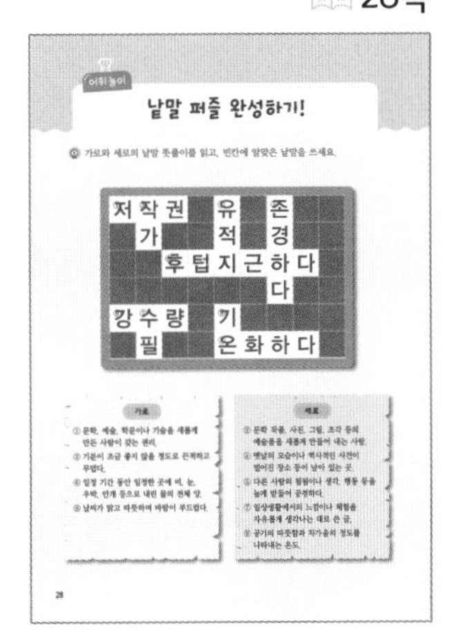

1일

32~33쪽

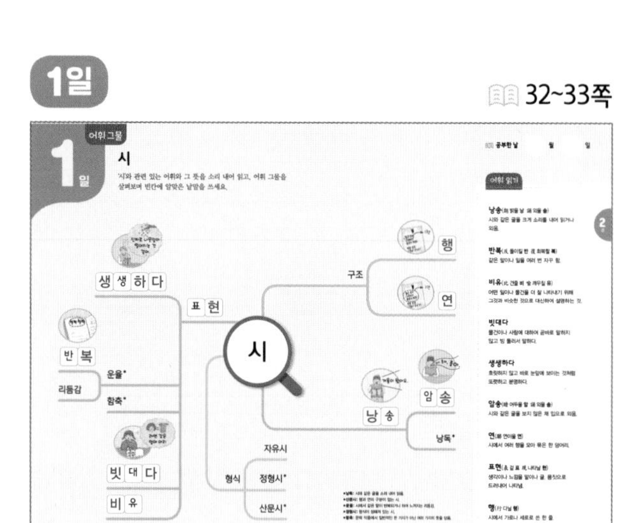

34~35쪽

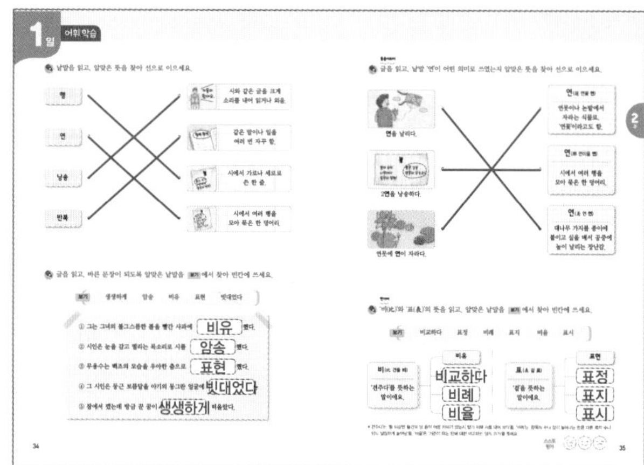

2일

36~37쪽

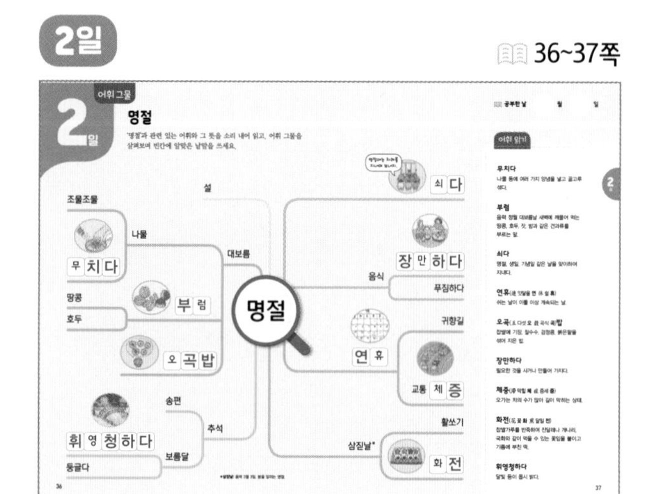

38~39쪽

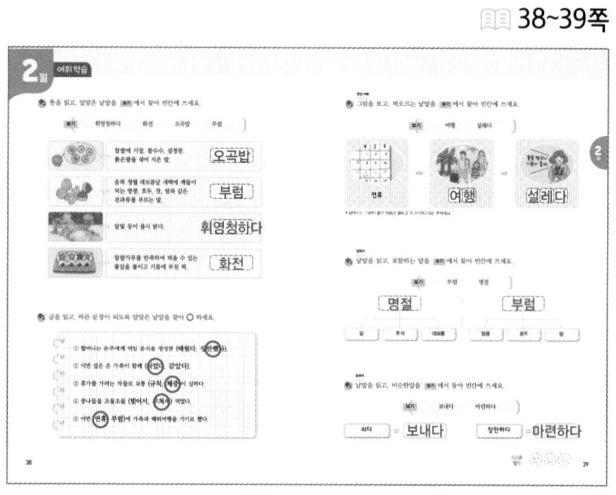

3일

40~41쪽

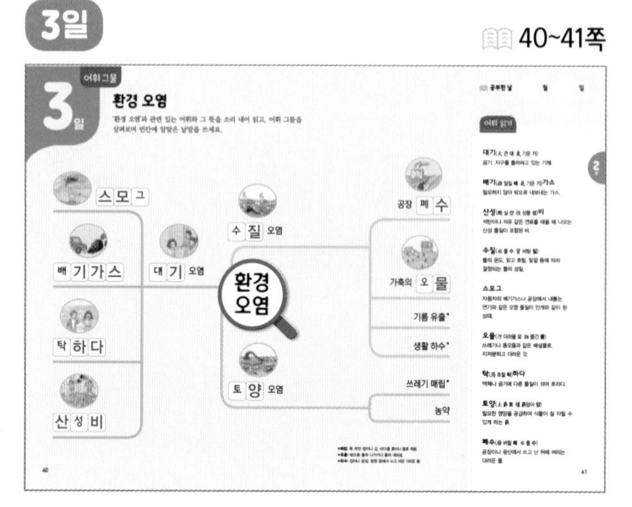

42~43쪽

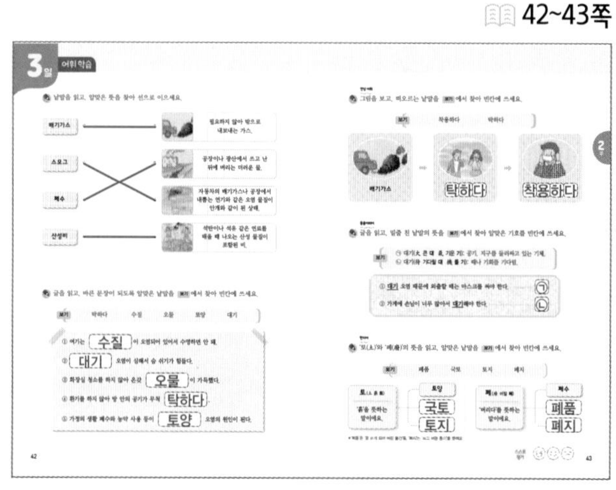

4일

44~45쪽

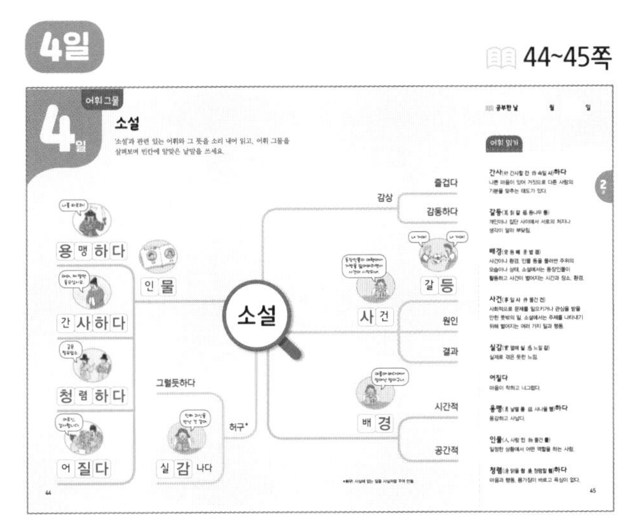

46~47쪽

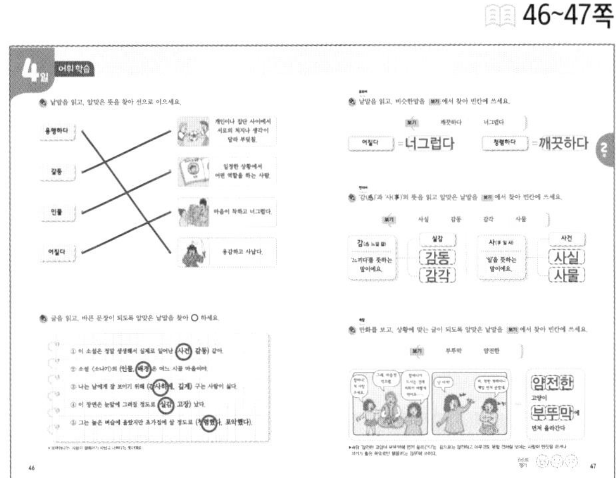

5일

48~49쪽

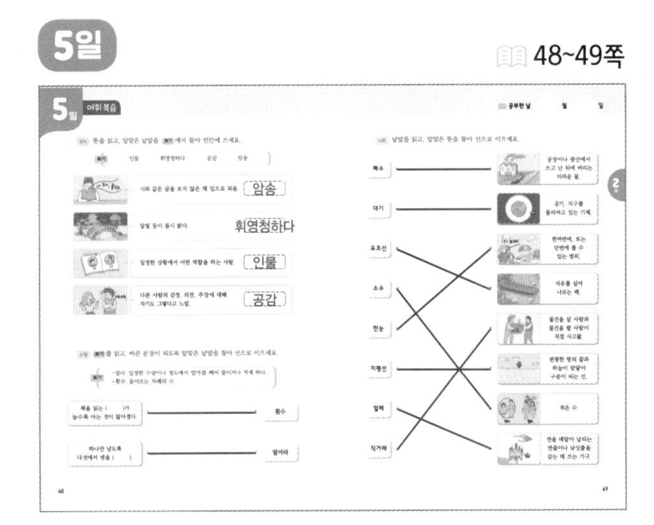

50~51쪽

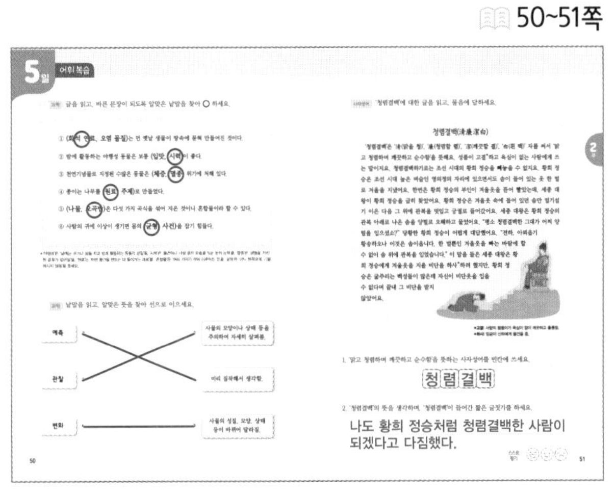

52쪽

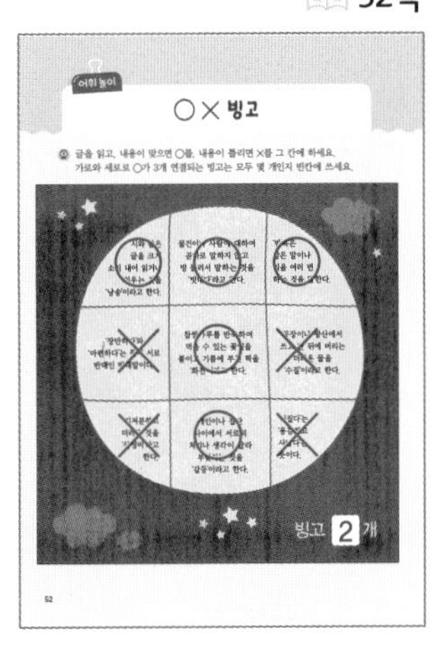

1일

56~57쪽

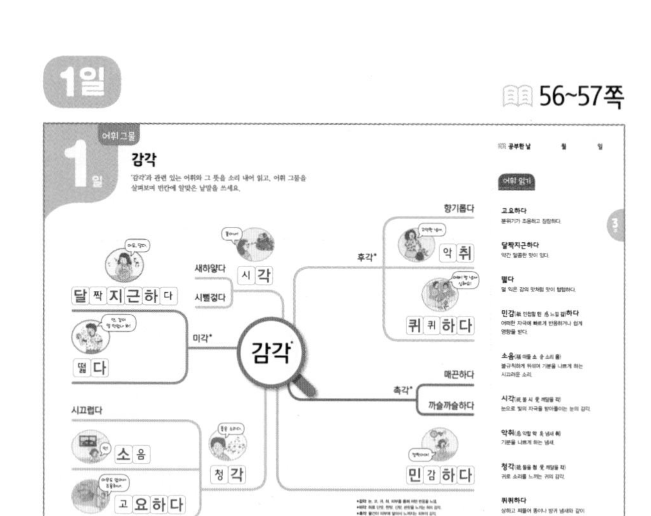
어휘 그물
1일
감각
'감각'과 관련 있는 어휘와 그 뜻을 소리 내어 읽고, 어휘 그물을 살펴보며 빈칸에 알맞은 낱말을 쓰세요.
감각
새하얗다
시각
시뻘겋다
미각*
달 짝 지 근 하 다
떫 다
후각*
향기롭다
악 취
퀴 퀴 하 다
촉각*
매끈하다
까슬까슬하다
시끄럽다
소 음
청 각
고 요 하 다
민 감 하 다
어휘 알기
고요하다
달짝지근하다
떫다
민감하다
소음
시각
악취
청각
퀴퀴하다

58~59쪽

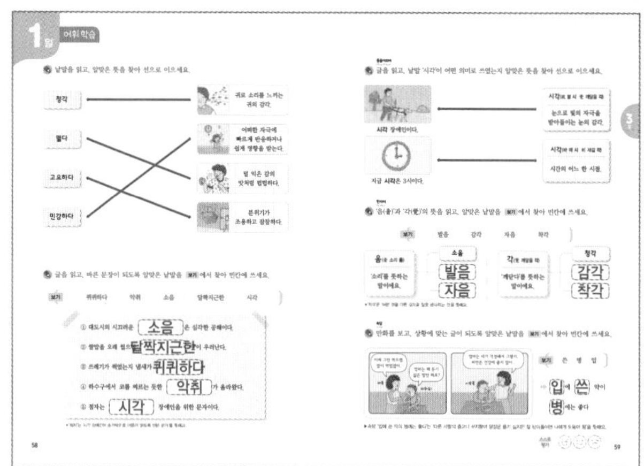
1일 어휘 학습
청각
떫다
고요하다
민감하다
소음
달짝지근한
퀴퀴하다
악취
시각
시각 장애인이다.
지금 시각은 3시이다.
발음
자음
감각
착각
입
쓴
병

2일

60~61쪽

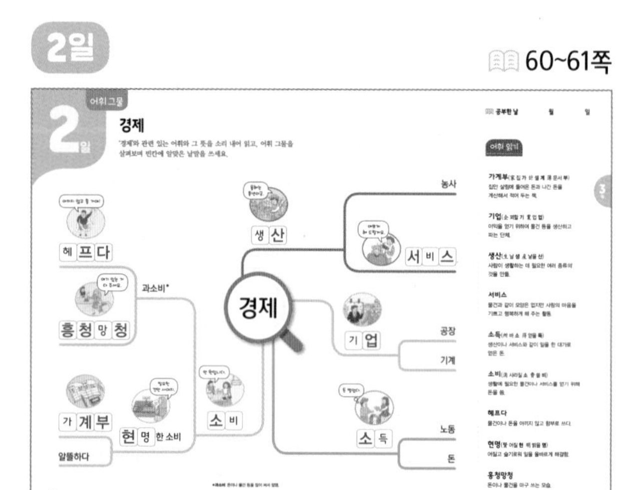
어휘 그물
2일
경제
'경제'와 관련 있는 어휘와 그 뜻을 소리 내어 읽고, 어휘 그물을 살펴보며 빈칸에 알맞은 낱말을 쓰세요.
경제
헤 프 다
과소비*
흥 청 망 청
가 계 부
현 명 한 소비
알뜰하다
생 산
농사
서 비 스
기 업
공장
기계
소 비
소 득
노동
돈
어휘 알기
가계부
기업
생산
서비스
소득
소비
헤프다
현명
흥청망청

62~63쪽

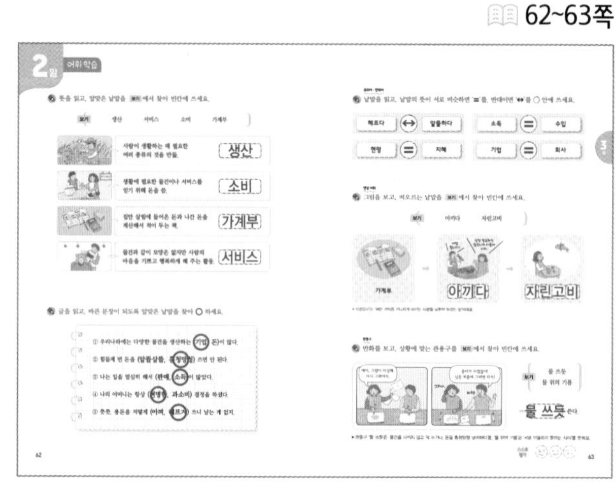
2일 어휘 학습
생산
소비
가계부
서비스
헤프다
알뜰하다
소득
수입
현명
지혜
기업
회사
가계부
아끼다
자린고비
물 쓰듯

3일

64~65쪽

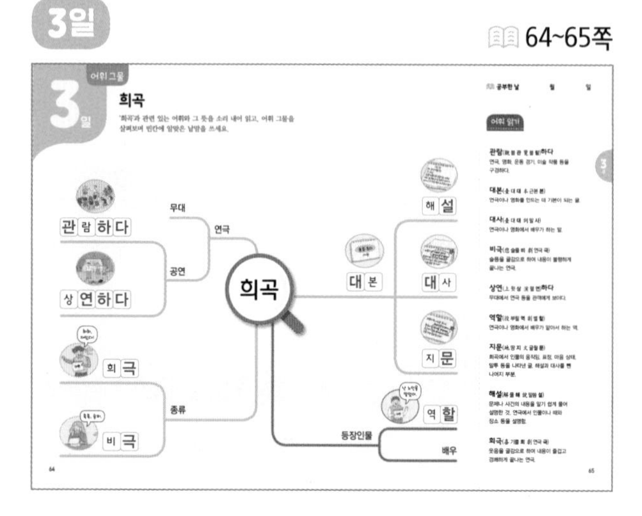
어휘 그물
3일
희곡
'희곡'과 관련 있는 어휘와 그 뜻을 소리 내어 읽고, 어휘 그물을 살펴보며 빈칸에 알맞은 낱말을 쓰세요.
희곡
무대
연극
관 람 하 다
공연
상 연 하 다
희 극
종류
비 극
대 본
해 설
대 사
지 문
역 할
등장인물
배우
어휘 알기
관람하다
대본
대사
비극
상연하다
역할
지문
해설
희극

66~67쪽

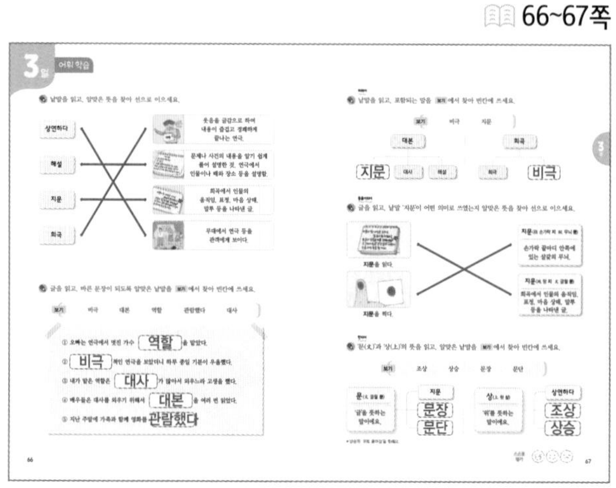
3일 어휘 학습
상연하다
해설
지문
희극
역할
비극
대사
대본
관람했다
지문
비극
문장
문단
조상
상승

4일

68~69쪽

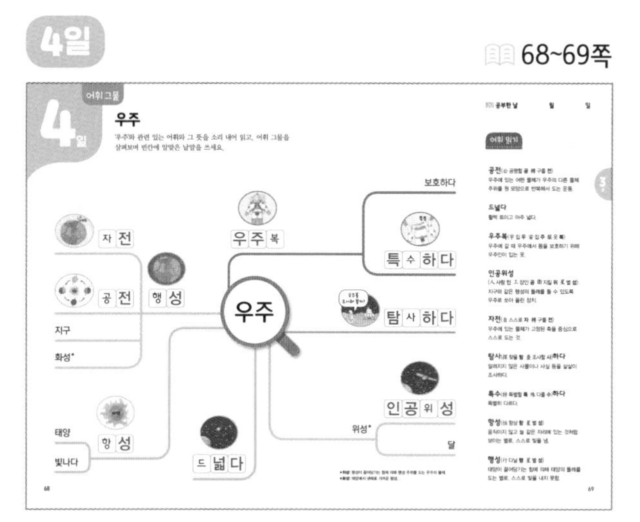

70~71쪽

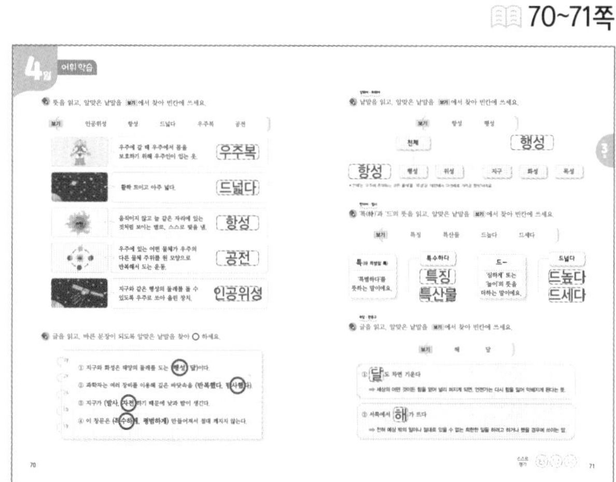

5일

72~73쪽

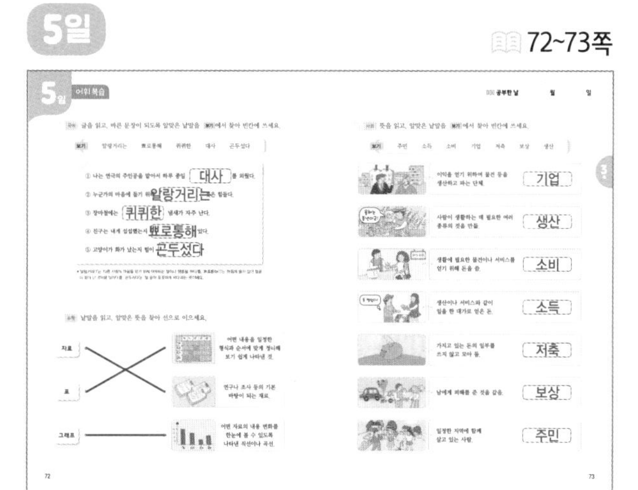

74~75쪽

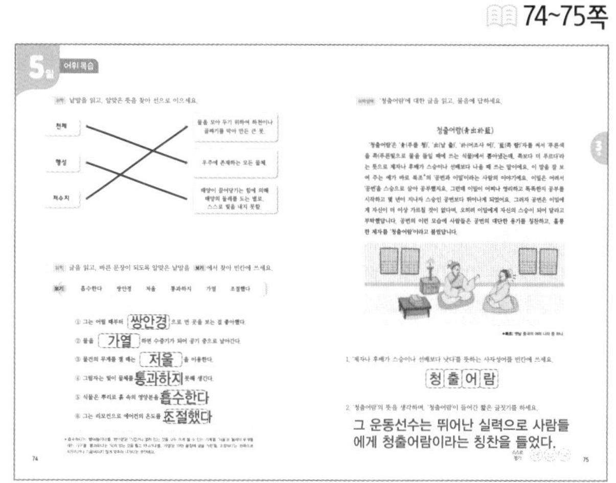

76쪽

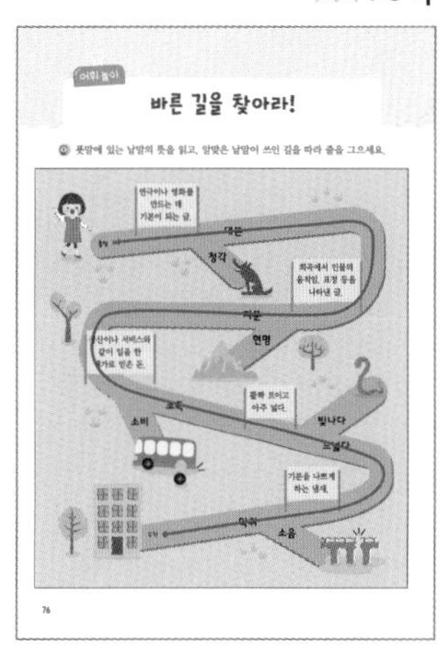

4주 정답

1일

80~81쪽

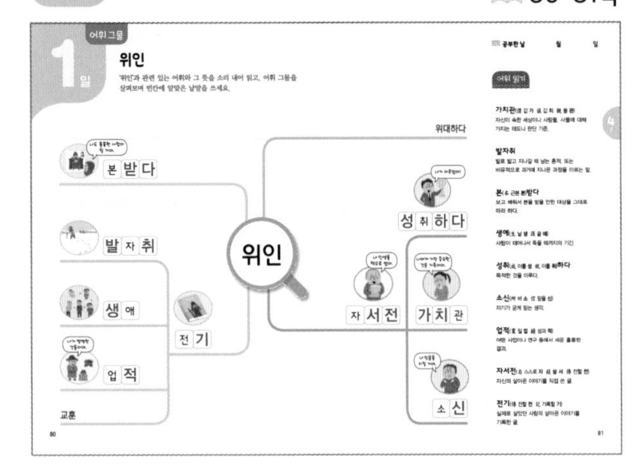

82~83쪽

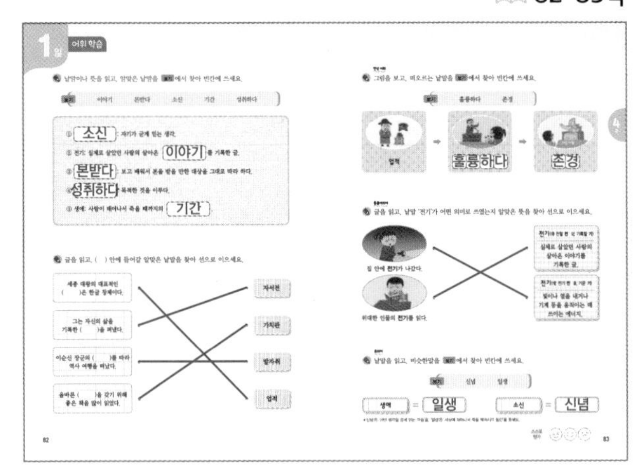

2일

84~85쪽

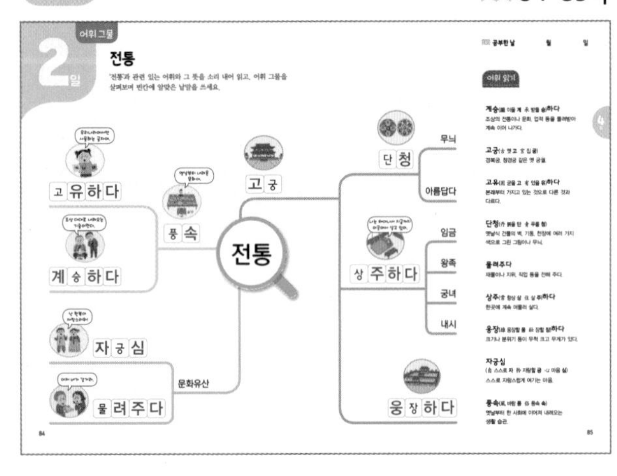

86~87쪽

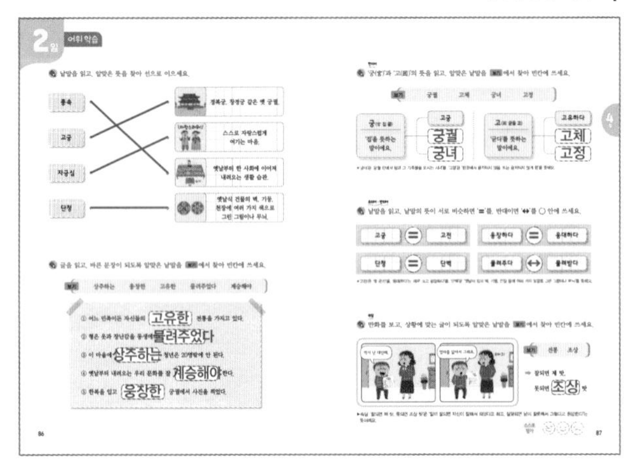

3일

88~89쪽

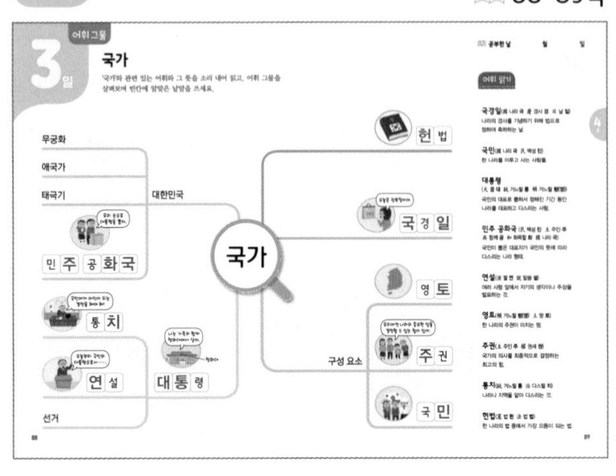

90~91쪽

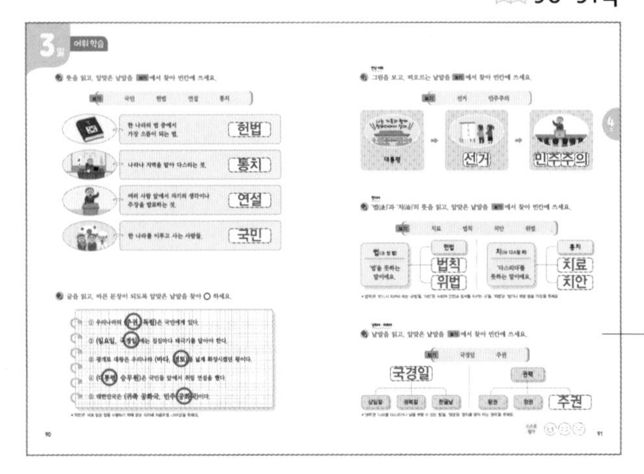